闘う労学が首都中枢を席巻（6月

極反動 倒せよ！

全学連が国民投票法改定阻止・土地規制法制定阻止に起つ（6月9日、参院議員会館前）

6・13－20「改憲阻止！ 安保粉砕！」

大阪市街を進撃する関西の労学（6月13日）

東海の労学が戦闘的デモ（6月20日、名古屋市）

鹿大生が日米仏合同演習反対！ えびの現地闘争に決起（5月15日、宮崎県霧島演習場）

全国各地で労学統一行動に起つ

右　権力の弾圧に抗し那覇市街をデモ（6月20日）
上　北海道の労学が戦闘的デモ（6月20日、札幌市）

金沢大生が自民党石川県連に抗議（5月11日、金沢市）

沖縄県学連が辺野古現地闘争に決起（5月15日）

「パレスチナ人民大虐殺弾劾！」イスラエル大使館に怒り（5月19日、東京麹町）

全学連が反安保・改憲阻止の戦闘的デモ（4月30日、東京霞が関）

新世紀

第314号（2021年9月）

The Communist

帝国主義打倒！
　スターリン主義打倒！
　　万国の労働者団結せよ！

2021年9月　No.314　目次

新世紀

日本革命的共産主義者同盟 革命的マルクス主義派 機関誌

第59回国際反戦集会　海外へのアピール

米中冷戦下の戦争勃発の危機を突破する反戦の闘いに起て！

二〇二一年七月五日　第59回国際反戦集会実行委員会

全世界で政府権力者の戦争政策に反対し、圧政と貧困の強制をうち砕くためにたたかいぬいている労働者・学生・知識人諸君！

新型コロナ・パンデミックの発生から一年有余のこんにち、現代世界は世界史的な大激動のただなかにある。パンデミックに見舞われた世界の権力者と資本家どもは、「ヒト・モノ・カネ・サービスの自由な移動」を遮断し、生産を停止した。世界各地でインド株などの新たな変異ウイルスが次々と出現することによって、いまなお世界各地で国境の閉鎖、都市の封鎖が断続的にうちつづいている。そして、資本家どもはみずからの生き残りのために労働者階級を容赦なく路頭に投げだしている。一九二九年の大恐慌をも上回るような〈パンデミック恐慌〉のもとで、むきだしとなったものはカール・マルクスが生きたたかった十九世紀のような古典的な階級分裂と貧困なのだ。

それだけではない。パンデミックのもとで、現代世界の構造の巨大な変化が惹起している。＜米中冷戦＞が一気に熾烈化したのだ。この米—中・露の世界的な激突のゆえに、東アジアや中東などで戦争勃発の危機が切迫している。ひとたび戦火が噴きあがるならば、それらは第三次世界大戦の序幕となるであろう。

いまこそ、全世界の労働者・人民は団結し、米中冷戦下で深まる戦争的危機を突き破る革命的反戦闘争を断固として創造せよ！　耐え難い貧困を強制し圧政をほしいままにする政府権力者どもをうちのめす闘いに猛然と起ちあがろうではないか！

われわれは、歴史的な激動の真っただなかで第五十九回国際反戦集会を、八月一日に日本各地で開催する。すべての労働者・人民は、われわれ日本の革命的左翼とともに、全世界で反戦の闘いをまきおこせ！　暗黒の二十一世紀をくつがえし輝けるプロレタリアの世紀を切り拓くことをめざして闘いにうってでようではないか！

台湾を焦点とした米・日—中の激突

中国の武漢から発生した新型コロナウイルスによって世界がパンデミックに見舞われてから約一年四ヵ月が過ぎた。パンデミックをつうじてむきだしになったのは、世界最悪の感染爆発と経済的破局によって炎上した軍国主義帝国アメリカの歴史的没落と、これを眼前にして「世界の覇者」の座を手にするための策動に一挙にうってでたネオ・スターリン主義中国との全面的な激突にほかならない。

二〇二一年六月中旬(十一～十三日)に開催されたイギリス・コーンウォールでのG7サミットを見よ！　落ちぶれた軍国主義帝国アメリカの大統領バイデンは、「アメリカ・ファースト」を掲げたトランプのもとで孤立を深めたアメリカの失地回復をなんとかはかるために、「同盟の再構築」を掲げてグローバルな対中国包囲網の形成にドイツのメルケル、フランスのマクロンなどをひきつけるために血眼となった。そのためにこそ、血塗られた「自由・民主主義・人権」のボロ旗を弱々しく掲げることに躍起となったのだ。イギリスのジョンソンとともにバイデンが謳いあげた「新大西洋憲章」なるものは、フランスやドイツなどの欧州権力者から対中国強硬策への協調をとりつけるために、ナチス・ドイツから欧州を「解放」したアメリカへの恩義を忘れないでほしいと訴えるバイデンの哀願にほかならない。

そして、このバイデンの提灯持ちとして「台湾海峡の平和と安定」という文言をG7の首脳宣言に明記するように立ち回ったものは、日本のネオ・ファシズム政権の宰相・菅義偉のほかにはいなかった。

このG7サミットの〝影の主役〟は習近平の中国であったとさえいえる。習近平は、バイデンを中心とする首脳会談を「最後の晩餐」と揶揄し、「小国の集まりにすぎず、統一戦線は必ず崩せる」などと言い放ったほどであったのだ。

だが、この習近平の中国もまた、内憂外患に見舞われている。中国の国内経済は企業の相次ぐ倒産や多額の債務を抱えた企業が増大するなど危機的な状況をさらけだしている。諸都市では鬼城（建設途中で廃墟となったマンション群）が林立するような惨状にある。深刻化する国内経済の危機ののりきりをかけた「一帯一路」経済圏づくりもまた、中国権力者のあまりにも露骨な人民抑圧への先進諸国権力者の反発の高まりのゆえに、また他国を「債務のワナ」に陥れる中国権力者にたいする中東欧および東南アジアなどの権力者たちの反発の高まりのゆえに、いまや暗礁に乗りあげている。こうした経済危機のもとで、共産党員でもある企業経営者がふりおろす首切りや賃下げ攻撃によって貧窮のどん底に突き落とされた農民工をはじめとする労働者たちの憤激はいや増しに高まっているのだ。

まさにこうしたことのゆえに習近平は、二〇二一年七月の「中国共産党創立一〇〇周年」の式典において、みずからを「毛沢東の再来」とおしだし「共産党なしには新中国の建設も中華民族の復興もない」と必死にがなりたてながら、中国共産党に「感謝」することを人民にくりかえし呼びかけたのである。

習近平は、中国にたいして政治的・軍事的・経済的の「圧力」をかけるアメリカ帝国主義にたいしては「一四億人の中国人民の血肉で築かれた『鋼鉄の長城』の前に打ちのめされるであろう」などとあくまでも「戦狼外交」をつづけることを明言した。そして彼らが「核心的利益」とみなす台湾問題をめぐって「完全な統一を実現」するために「いかなる台湾独立の企みをも粉砕する」ことを宣言し、武力統一の意志をもっていることを隠そうともしなかったのである。

また習近平は、香港をめぐっては「国家安全維持法の制度と執行体制の実施」の名において、「民主派」を血祭りにあげ人民を北京官僚政府のもとに組み敷く専制支配をうち立てたことを誇示した。そして、かつて反政府暴動をひき起こしたウイグル人民にたいしては、百万人を強制収容所に送りこみ残酷な弾圧を加えている。まさに来たるべき米中決戦に備えて「内憂」をとり除くために躍起となっているのが習近平政権なのだ。

今、彼ら北京官僚政府は、南シナ海を事実上領海化したことにふまえて、東シナ海では尖閣諸島を台湾の一部とみなしこれを奪取する策動を強めている。そして、台湾の周辺に中国海・空軍を常時展開し、さらに台湾をも越えて西太平洋へと海・空軍を大々的に展開させている。それと同時に「台湾有事」の際に米空母部隊が台湾周辺海域に侵入することを阻止するために、中距離弾道ミサイルの配備（二〇〇〇発）など即応態勢をとっているのだ。

　こうした習近平政権の強硬な策動にたいして、アメリカのバイデン政権は「六年以内に中国は台湾に武力侵攻するだろう……」などと顔面蒼白となりながら、台湾・蔡英文政権にたいする最新鋭の武器の供与をはじめとした軍事援助をもテコとして支援を強めている。そして、米軍艦船に台湾海峡を通過させたり・南西諸島を舞台として「台湾有事」における戦争計画にのっとるかたちでの日米合同軍事演習を大々的に強行したりしているのだ。

　こうしていまや台湾海峡は、――南シナ海とともに――米日両軍と中国軍とが軍事演習を相互対抗的にくりひろげる一触即発の状況にあるのである。

　習近平の中国は、「次の一〇〇年」＝二〇四九年の「建国一〇〇年」には「社会主義現代化強国」を建設するという「国家目標」をうちだし、中国国家が「世界の中華」として君臨することを彼らの世界戦略としている。この国家目標と世界戦略の実現のための突進を開始したのがネオ・スターリン主義中国なのだ。

　そして、こうした習近平の中国との反米同盟をますます強化しつつ、対米挑戦にうってでているのがプーチンのロシアである。いまなおアメリカに匹敵する核兵器を保有する核大国であるロシアは、「大国ロシアの復権」という国家戦略を実現するために、旧東欧諸国だけでなくウクライナをはじめとする旧ソ連構成諸国にまでいわゆる「民主化」を拡大してきた米欧の帝国主義諸国にたいする巻き返し策動にでている。プーチン政権が、クリミアの近くを航行したイギリス海軍の軍艦にたいして、ロシアの戦闘機と軍艦とを動員するかたちで「警告射撃」という名の軍事的威嚇行動にうってでたのは、その手始めの一撃にほかならない。そしてプーチンは、みずからのＦＳＢ（ロシア連邦保安庁）型強権的支配体制を強化しながら、反体制派ジャーナリストを「国家的ハイジャック」によって拘束したベラルーシのルカシェンコを庇護しつづけているのだ。

こうした中国・ロシアによる政治的・軍事的攻勢にさらされているバイデン政権は、中国との「二十一世紀を決定づける戦略的競争」にかちぬくために「同盟の再構築」を謳いながら同盟諸国を総動員してのグローバルな中国包囲網の形成に狂奔している。そして「新時代のグローバル・パートナーシップ」（四月の日米首脳会談）の名において日米軍事同盟を対中国グローバル同盟の中軸をなすものとして位置づけ、グローバル同盟構築のために日本帝国主義の政治的・軍事的・経済的の力を総動員するための策動をおしすすめているのだ。見よ！　米軍とともに日本国軍は、オーストラリア軍と恒常的に南シナ海・インド洋などにおいて演習をくりひろげ、さらにはフランス軍などとも合同軍事演習を強行しているではないか！

あきらかに今、台湾において、南シナ海で、いつ熱戦の火が噴きあがるともしれない危機が急切迫している。米・日と中・露の権力者どもは、米中冷戦の熱戦への転化に備えて、陸・海・空の領域だけではなく宇宙空間・サイバー空間などにおいて軍拡競争をくりひろげている。

いまこそわれわれは、米・日―中・露の激突下で高まる世界大的な戦争勃発の危機を突き破る革命的反戦闘争を断固として創造するのでなければならない。

中東で高まるイスラエルとイランの軍事的衝突の危機

中東においても、イスラエルのシオニスト権力（ネタニヤフ前政権）は、「天井のない牢獄」と呼ばれるパレスチナ・ガザ地区の街を灰燼と化すような猛爆撃によって、子供もふくむ数多の人民を血の海に沈めた。対パレスチナ・対イランの最強硬派たるベネットを首班とする新政権もまた、発足後ただちにガザへの空爆を強行したのであった。他方、このイスラエルを仇敵として政治的・軍事的に対峙するシーア派国家イランでも、「反米・反シオニズム」の強硬派のライシ師を大統領とする新たな政権が発足することになった。

このゆえにイスラエルとイランとが軍事的に激突するときは刻一刻と迫っているといわなくてはならない。イスラエルをアメリカが支えているばかりではなく、イランと対峙しているスンナ派のサウジアラビアなどの王制諸国もまたイスラエルとの関係改善をはかっている。そして、反米国家イランを中国とロシアが後ろ盾になって政治的・経済的・軍事的にも全面的にバックアップしている。まさにこうした中東における新たな構図の現出のゆえに、イスラエルによるイランへの軍事攻撃を発端として勃発するであろう第五次中東戦争は、ただちに世界的大乱の導火線となるにちがいないのだ。

われわれは、「一超」軍国主義帝国アメリカによるイラクへの戦争が切迫しつつあった二〇〇二年七月いらい一貫して「全世界のイスラム人民よ、パレスチナ国家独立をめざして、イスラミック・インターナショナリズムにもとづく闘争を組織せよ！」(黒田寛一『マルクス ルネッサンス』KK書房刊所収「反戦闘争の現在的環」)という呼びかけを発してきた。この呼びかけを、アメリカ帝国主義にバックアップされたシオニスト権力の暴虐にたいして血を流しつつたたかっているパレスチナ人民をはじめとするすべてのイスラム人民に発しつつ、イスラエルによるガザ空爆弾劾、イラン軍事攻撃反対の反戦闘争を嵐のようにまきおこそうではないか！

パンデミック下で貧困と圧政を強制する権力者を打ち倒せ

こうした軍事的・政治的な角逐をいよいよ尖鋭化

させている米・日—中・露はいま、新型コロナ・パンデミックによって「ヒト・モノ・カネ・サービス」の国境を越えた移動が遮断され「グローバル経済」がズタズタにされるなかで、いわゆる「軍事的安全保障」の戦略だけでなくこれと密接不可分なかたちで「経済安全保障」戦略をうちだし、経済的争闘戦を激化させている。AI（人工知能）などのデジタル技術や5G（第五世代移動通信システム）などの先端技術の囲いこみ、レアアースなどの希少資源や半導体などの囲いこみ、などがそれである。

従来のような政治的軍事的対立関係とそのもとでの経済的な「ウィン・ウィン」関係は、もはや過去のものとなりつつある。そしてこのことがまた、米中冷戦の熱戦への転化に道をひらくものとなりつつあるのだ。

そしてあらゆる部面で対立を激化させている米・日と中国の国内では、〈富める者〉がどこまでも富を拡大し、〈貧しき者〉が日々餓死線上に突き落とされている。米・日の資本主義各国では資本家階級と労働者階級との古典的な階級分裂と古典的な貧困が、「市場社会主義国」中国においては莫大な富を手にした特権官僚どもと貧窮に苦しむ労働者・農民との対立がいっそう尖鋭化しているのだ。

こうした米・日と中国にかぎらず全世界各国において、パンデミックのもとで貧窮を強制する政府権力者にたいして労働者・人民は憤激を燃やし叛逆の闘いに起ちあがっている。民衆の叛逆を押し潰すために、各国政府権力者はおしなべて「コロナ対策」に乗じながらみずからの政治支配体制をより強権的に反動化させているのである。

すべての労働者・人民は、貧困と圧政を強制する政府権力者を打ち倒す闘いを創造せよ！

東京オリンピックの強行弾劾！ 改憲・安保強化に突進する菅政権を打倒せよ！

わが日本においては、東京などの首都圏においてコロナ感染拡大の第五波が迫り来ているにもかかわらず、菅政権は、みずからの政権の延命のために何としても「東京オリンピック」の開催を強行しようとしている。人民の塗炭の苦しみも医療崩壊の危機も眼中になく、日本のみならず全世界に感染の爆発的拡大をもたらすこの「祭典」を強行する菅政権にたいして、いま日本のすべての人民が怒りを叩きつけている。そしてわれわれは、「オリンピック強行弾劾」の闘いを全国各地でくりひろげている。

独占ブルジョアどものためには支援策を実施しながら、「自助」をふりかざして、困窮する労働者・人民にたいする支援策は打ち切ったままにして無慈悲に切り捨てている菅政権。「デジタル化」の名において人民を監視し弾圧するネオ・ファシズム的な政治支配体制を強化している菅政権。――この日本型ネオ・ファシズム政権を打倒するために、わが全学連と反戦青年委員会のたたかう学生・労働者は、全国各地でたたかっているのだ。

日本共産党の不破＝志位指導部は、日米軍事同盟に「反対」することを完全に放棄して、「日本有事」には日米安保条約第五条にもとづく「日米共同作戦」を積極的に容認するという犯罪的な主張をくりかえしている。こうしたスターリニスト党の指導部の犯罪を暴きだしつつ、われわれたたかう労学は反戦闘争を創造している。また「国防力強化」を叫びたて、菅政権による日本国憲法第九条の改悪を尻押しさえしている「連合」の労働貴族どもを弾劾しつつ、たたかう労働者は労働戦線の深部から改憲阻止のうねりをつくりだしている。

「憲法改悪阻止！　対中攻守同盟反対！　菅政権打倒！」の声高く全学連・反戦青年委が米大使館・国会に戦闘的デモ（6月13日）

われわれは、「交戦権の否認」「戦力不保持」を明記した憲法第九条を破棄する憲法大改悪の策動を粉砕する闘いの爆発をかちとるために、そしてまた辺野古新基地建設などの日米軍事同盟を強化するための策動を阻止する反戦反安保闘争の高揚をきりひらくために奮闘している。アメリカによってヒロシマ・ナガサキに原爆を投下された唯一の被爆国である日本の労働者・学生は、米日両権力者が日米軍事同盟を核軍事同盟として飛躍的に強化することを断じて許しはしない。われわれは「日米核安保粉砕」の旗を掲げて反戦闘争を強力に推進している。

かつて「一超」軍国主義帝国アメリカのイラク戦争に日本が自衛隊という名の日本国軍を派遣し参戦することを決意したとき、同志黒田は「……軍事同盟を結んでいる独立国が同時に『アメリカの属国』とならざるをえない。これが、今回の小泉政権の参戦の意志として現れている」（黒田寛一『ブッシュの戦争』ＫＫ書房刊、四〇頁）と喝破したのであった。日米軍事同盟という鎖によって縛られている「アメリカの属国」日本の国家権力者どもは、「主」と運命を共にする以外に生き残る道がないのだ。まさにこのゆえに今、菅政権は、没落をあらわにしつつも・なんとか対中国のグローバルな戦争同盟を築きあげようとしているアメリカ帝国主義への政治的・軍事的および経済的な従属をますます深めつつあるのだ。だがそれは戦争と暗黒政治への道にほかならない。
それゆえに、われわれは「安保の鎖」を断ち切る＜日米安保破棄＞をめざして闘いを断固として創造しているのである。

ソ連邦崩壊三〇年――全世界のプロレタリアートは暗黒の世紀を覆す闘いに起て！

われわれがつとに暴きだしてきたように、二十一世紀現代世界は、新型コロナ・パンデミックのもとで暗黒の世紀としての酷たらしい姿をむきだしにしている。米と中・露とのいつ熱戦に転化するかもしれない危機の高まり、各国における階級分裂の一挙的拡大と貧困の深刻化、強権的な支配を強める〝今ヒトラー〟どもの闊歩、そして温暖化など地球環境のすさまじいスピードでの破壊、などがそれである。

まさにこうした現代世界の暗黒こそは、スターリン主義ソ連邦の崩壊から三〇年の現実なのだ。

わが革命的左翼は、全世界の労働者階級・人民に呼びかける！　コロナ・パンデミックのもとで、現代資本主義は最末期の姿をあらわにしている。だがしかし、各国資本主義は死の痙攣にのたうちながらも、「ポスト・コロナ」を叫びながらブルジョアどもは労働者の生き血をすすって延命をはかろうとしている。このブルジョアどもにとどめを刺すのは、搾取され支配される労働者階級の階級的に団結した闘いのみなのだ。労働者階級の力でブルジョア階級とその政府を、そして中国のネオ・スターリニスト権力を打ち倒せ！

アンチ革命者ゴルバチョフがもたらしたスターリ

ン主義ソ連邦の消滅によって革命ロシアは埋葬された。この「世紀の逆転」をわれわれの手で何としても「再逆転」し、二十一世紀を「プロレタリア革命の世紀」たらしめるために総力をあげてたたかいぬこうではないか。まさにそのために、全世界の労働者・人民は、血塗られたスターリン主義と場所的に対決し・その反マルクス主義的な本質に目覚め、もって反スターリニズムの闘いに起ちあがろうではないか！

すべてのたたかう労働者・学生・人民はいまこそ闘いに起て！　その合い言葉は「マルクス・ルネッサンス」でなければならない。そして、その世界革命戦略は〈反帝国主義・反スターリン主義〉でなければならない。

いまこそ、全世界の労働者・人民は、全地球上を埋めつくすような反戦のデモをまきおこせ！　貧困と圧制を強制する政府権力者にたいする強烈な闘いを叩きつけよ！　プロレタリア階級闘争の全世界における蘇生をかちとるために、いまこそ労働者階級の国境を越えた団結を創造するためにともに起ちあがろう！

ミャンマー軍政権力の人民大弾圧弾劾

鵜原理彰

全土を戒厳体制下においているミャンマーの軍司令部は、今、この軍政権力の強権的＝軍事的支配に抗してたたかう労働者・人民にたいして凶暴・苛烈きわまりない弾圧の刃をふりおろしている。デモ隊にたいしてためらうことなく重火器をも用い実弾を雨あられと撃ちこむ彼らの弾圧によって、判明しているだけでも八六二人もの人民が虐殺され、数えきれない多くの人民が負傷させられた。そして四七〇〇人以上の人民が拘束され、二〇〇〇人以上が指名手配されている(二〇二一年六月八日現在)。軍はカレン族などの「反軍政」の姿勢を鮮明にしたエスニック集団武装勢力へ空爆すらおこない人民を虐殺しているのだ。欧米式「民主主義」の実現を掲げたアウンサンスーチーの国民民主連盟(ＮＬＤ)を政権から排除するために「クーデタ」にうってでたミンアウンフラインの軍司令部は、ＮＬＤが組織した「反軍政」の「国家統一政府」(ＮＵＧ)を壊滅することに躍起になっている。

そしてこのミャンマー軍政権力による強権的支配を、世界の覇者の座をかけて新興諸国・途上諸国権力者の反米共闘への抱き込みに狂奔している中国の権力者が、ロシア権力者とともに、強力にバックアップしている。まさにこのゆえに軍政権力者どもは、米欧諸国権力者どもの「人権」「民主主義」を建前としての非難や「制裁」措置など歯牙にもかけず傲然と弾圧に狂奔しているのだ。ミャンマー軍政権力者による血の人民大弾圧を断じて許すな！

「反軍政」闘争の根絶を狙った人民大虐殺

軍総司令官ミンアウンフラインの軍政権力は五月上旬に、「反軍政」勢力が結成したと宣言した「国家統一政府」に「テロ組織」の烙印をおし閣僚らを「反逆罪」容疑で指名手配した。党首アウンサンスーチーを拘束された「国民民主連盟」が軍政権力に対抗するために結成した「連邦議会代表委員会」（CRPH）と、軍による人民弾圧に反対する諸エスニック集団武装勢力とが共闘し結成したのがNUGだ。これが「反軍政」の闘いの核となることを粉砕するために軍は弾圧の刃をむきだしにしているのだ。

とりわけ、国境地帯で長年にわたってミャンマー国軍と戦ってきた諸エスニック集団武装勢力がCRPHと結びついて反攻にうってでることをなんとしても阻止することに軍政権力は血道をあげている（註）。南東部カレン州の「カレン民族同盟」、北部カチン州の「カチン独立軍」、西部チン州の「チン民族戦線」などが、NUGの「国民防衛隊」創設の呼びかけに応えつつ軍に対抗する闘いをくりひろげている。これを壊滅するためにミャンマー軍は空爆まで加えているのだ。このゆえに多数の犠牲者が生みだされている。軍による

ミャンマー軍と闘う人民（2021年３月、中部モンユワ）

攻撃を避けるためにすでに二五万人以上が避難を余儀なくされている。

ミンアウンフライン軍事政権の報道官は言い放った、「木を育てるためには、害虫を駆除し、雑草を根絶しなければならない」「機関銃や自動小銃を使えば、数時間で五〇〇人を殺せる」と(四月九日)。まさしくこの政権は、軍政権力への「不服従」運動を広範にくりひろげてきた労働者・人民にたいする憎悪をむきだしにして、残虐な弾圧を加えているのだ。三月二十七日の「国軍記念日」の軍事式典にたいして、全国で敢行された人民の抗議行動。これに焦った軍は、この日だけで一一四人以上を虐殺した。四月九日には、弾圧にさらされ抗議行動の縮小を余儀なくされた人民がヤンゴンやマンダレーなど主要大都市に代えて「反軍政」行動をたたかっていた中部のバゴー、この一都市で八十二人をも虐殺したのだ。

さらに軍政権力は、拘束した人民には拷問を加え死にいたらしめている。軍の蛮虐を暴きだしている新聞などのメディアを次々と閉鎖し、ジャーナリストを拘束してもいる。人民が軍の動向やみずからの行動方針を共有し通信する手段であるインターネットも閉鎖している。

軍による支配を保障している現行憲法を改定する追求の歩を進めたアウンサンスーチーを二度と起ちあがらせないためにいくつもの〝違法行為〟をデッチあげ拘束している。そして、軍に歯向かう者は「テロリスト」だといいなして、その抵抗を根絶やしにせんと躍起になっているのだ。

この凶悪極まりない軍政権力者にたいして、ミャンマー人民は憤怒に燃えて「ファシストを許すな」と叫び、ストを継続したり短時間デモをくりかえしたりして粘り強く抗議行動に起っているのだ。

中国権力者につき動かされた国軍のクーデタ

ミンアウンフラインに率いられたミャンマー軍による「クーデタ」実行と強権的=軍事的支配、それを強力に支えているのが中国・ロシアの権力者どもだ。

二月一日のクーデタにたいして中国権力者は語った、「中国はミャンマー国軍を承認し、困難があっても支持する。国軍もその恩に報いて中国とより密接な関係を確立するだろう」と（駐ミャンマー大使・陳海）。まさに習近平政権は、ミャンマー軍による「クーデタ」や人民弾圧を〝非難〟する国連の諸決議案を、ロシア・プーチン政権と結託して「内政干渉反対」の名のもとに次々と葬りさっている。また、インターネット検閲システム・グレートファイアーウォールなどの技術をミャンマー軍に供与し弾圧を手助けしている。

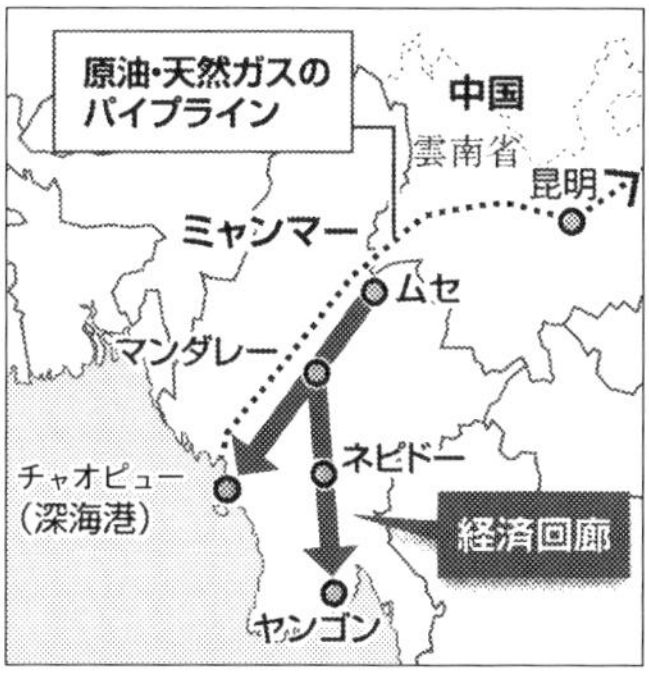

そもそも、中国外相・王毅は、一月にミャンマーを訪れミンアウンフラインの「クーデタ」計画にたいして「国家発展のため積極的に貢献する」もの、と全面的に支持する意志を明確にしたのであった。アウンサンスーチー率いるNLDを政権から一掃するミャンマー軍の「クーデタ」が米欧諸国の制裁＝ミャンマーへの投資減退を招き中国経済にとってもマイナスになるとしても、軍の直接的統治を復活させることが中国の利益にかなう、と決断したのが習近平政権なのだ。

この政権は、アメリカ・バイデン政権による政治的・経済的・軍事的な中国包囲網づくりに直面し、これに対抗して、とりわけＡＳＥＡＮ諸国権力者の囲い込みに血眼となっている。

なかでも、「一帯一路」という名の人民元経済圏づくりと「真珠の首飾り」と呼ばれる軍事拠点網建設のためには、絶対にミャンマー権力者をみずからのもとに囲いこみつづけなければならない、と中国権力者どもは判断している。原油・天然ガスのパイプラインで中国の昆明とつながっているミャンマーのチャオピュー港は、「有事」にさいして米軍によって封鎖される可能性のあるマラッカ海峡を通らずに、中東産原油や、チャオピュー沖合にあるガス田の天然ガスを内陸へ供給・輸送しうる戦略的要衝であり、中国海軍の軍事拠点となっている。このチャオピュー港の権益確保に死活的利害をみいだしているのが習近平政権なのだ。

このミャンマーにおいて、欧米式「民主主義」を標榜するアウンサンスーチーらのＮＬＤが二〇年秋の総選挙において単独過半数を占めた（国軍翼賛政党は議席の七％しかとれなかった）。軍に四分の一議席をあらかじめ与え〝有事〟の軍統治を規定している憲法の改定にアウンサンスーチーが踏みきるならば、やがてはアメリカやイギリスにテコ入れされた政治勢力によって軍は「政治」から排除され経済的権益もほり崩されかねないことへの危機意識を中国権力者どもは増幅させている。このゆえにこそ、「反軍政」の芽を摘み取ることに習近平政権は踏みきったのだ。

同時に彼らは、労働者・人民にたいする強権的支配の体制を護持している新興・途上諸国家の権力者を反米グループにまきこむために、「人権」をタテにした欧米諸国権力者どもの非難を「内政干渉反対」の名のもとにはねつけたのだ。そもそも、香港や内モンゴル・新疆ウイグル・チベット諸自治区においてみずからの支配に抗する人民を凶暴に弾圧しているのが習近平ら中国ネオ・スターリニスト党＝国家の官僚どもなのだ。

ロシア権力者も、「クーデタ」直後からミャンマー国軍への全面的バックアップを表明してきた。現に、「国軍記念日」式典には、参加したわずか八ヵ国のうちでも唯一、本国から国防次官を送ったのはロシアであった。

そして一月に中国外相・王毅がミャンマーを訪れたのと時を同じくして、ロシア国防相ショイグがミャンマーを訪問し、兵器供与の協定を締結するとともに、軍の「クーデタ」計画を承認したのであった。ロシア権力者は、十年間で八億七〇〇〇万ドルにのぼる武器輸出の相手であるミャンマー（軍）を「東南アジア・アジア太平洋の戦略的パートナー」として位置づけ、将校に軍事訓練を施すなど軍事面で密接な協力をしてきたのである。

軍事政権への経済支援を継続する菅政権

ミャンマーにたいして累積円借款一兆円など世界最大の援助をおこなってきた日本の菅政権は、国軍クーデタと軍政権力による人民大弾圧を実質的に黙認しつづけている。日本の権力者どもは、口先では「重大な懸念」(外相・茂木敏充)などと表明しながらも、「日本独自の役割」だの「事態の推移を注視する」だのと称してミャンマー軍事政権への経済支援を継続している。十五ヵ国の駐ミャンマー大使が軍事クーデタを非難する共同声明を発表した(四月九日)さいにも、これに加わることを拒否したのが日本政府なのだ。

菅政権がこうした対応をとっているのは、ミャンマーにおけるインフラ建設や観光開発に巨大な権益をもつ日本独占資本の利害を護持するためにほかならない。「人権・民主主義」のボロ旗をふりかざして対ミャンマー経済制裁にうってでているアメリカのバイデン政権の顔色をうかがいながらも、パンデミック下での経済的破局にあえぐ日本独占ブルジョアジーを延命させるためにこそ、「特別のパイプ」なるものをおしだしミャンマーとの経済的協力関係を強化しつづけているのが菅政権なのである。

中・露両権力者に全面的に支えられた軍事政権の圧倒的な武力にもとづく強権的＝軍事的支配、これに抗するミャンマー労働者・人民の闘いは苦難を強いられている。ミンアウンフライン軍政権力による血の人民弾圧・大虐殺弾劾！　軍政権力を全面的に支える中国のネオ・スターリニスト習近平政権、およびロシアのプーチン政権を断じて許すな！

註　国軍は、連邦国家ミャンマーの維持を使命とする国家の「守護神」である、と自己を規定してきた。ビルマ族をのぞき一三四あるとされる諸エスニック集団のうち十数集団が、独立や自治権を要求して隣接諸国権力者などの支援を受けつつ武装して蜂起してきたが、これを鎮圧することに軍は注力してきた。このかん、軍の「民主化ロードマップ」なるものの進行にふまえて諸エスニック武装勢力は、政府と和解協定を締結してきたが、「クーデタ」後は軍政権力に反対し武力をも行使してたたかっている。

（二〇二一年六月十五日）

感染爆発・医療崩壊下で東京五輪開催に突進する菅政権を打倒せよ

大阪を中心にして拡大してきた新型コロナウイルス感染の第四波は、三度目の緊急事態宣言(二〇二一年四月二十五日発令)のただなかで全国に拡がりつつある。政府や地方自治体当局が医療体制の拡充を怠ってきたがゆえに、多くの重症者が入院することもできず、放置されたまま死に追いやられる患者が日ごとに激増している。

この事態を突きつけられても首相・菅義偉とその政権は、「安全・安心な大会実現は可能」と強弁し、なにがなんでも「東京オリンピック開催」を強行しようとしている。そのために彼らは、北海道知事による緊急事態宣言指定の要請を頑なに拒否した(五月十三日)。だが、緊急事態宣言の対象地域に北海道を加えず六都府県(五月七日時点で拡大)以上に拡大しないという方針を「分科会」に諮った菅政権は、このかんことごとく警告をふみにじられて堪忍袋の緒が切れた専門家たちから猛烈な批判を浴びてその撤回を強いられ、一転して北海道・広島・岡山を対象に加えざるをえなくなった(十四日)。

もはや対応不能に陥った彼らは、いま医療体制の緊急拡充をすべて地方自治体におしつけ、上から「ワクチン接種加速」の命令をがなりたてているだけなのだ。

まさにこの政権は、政権延命のための「オリンピック開催」をすべてに優先することによって、現にいま感染爆発と医療崩壊を促進しているのである。そしてまた、「コロナ不況」の犠牲を転嫁されて困窮を強いられている労働者・人民にたいして、国家としての生活補償を拒否し、どこまでも「自助」と「自己責任」を強制しているのである。

それだけではない。菅政権は、このパンデミックを利用し「コロナ禍で日本のデジタル化の遅れがはっきりした」と喚きながら、デジタル監視体制づくりのためのデジタル関連法を成立させた（五月十二日）。そして、「感染対策の強化」を求める人民の声を逆手にとって「憲法に緊急事態条項が必要だ」と叫びたて、「憲法改正」を呼号している。そのためにこの政権はいま、国民投票法の改定を強行しようとしているのだ。〈米・中激突〉のもとで日米軍事同盟を対中攻守同盟として強化し、日本を〝アメリカとともに戦争をやれる国〟へと飛躍させるためにこそ、この政権は、憲法改悪とデジタル監視体制づくりに狂奔しているのだ。

コロナ感染を拡大させ、人民を貧窮と病苦に突き落としている菅政権にたいして、いま労働者・人民の怒りが沸騰している。政権批判の高まりに直面し追いつめられた菅政権は、まさにそれゆえにこそ、ネオ・ファシストとしての牙を剝きだしにして次々に反動攻撃をふりおろしているのだ。

すべての労働者・学生諸君。みずからの「コロナ対策」の破綻を開き直り、凄まじい犠牲を労働者・人民に強制しつづけているこの末期の菅政権を、総選挙対策に埋没する日本共産党などの既成指導部の腐敗をのりこえ、いまこそ労働者・学生・人民の実力で打倒しようではないか。

コロナ感染第四波の拡大は菅政権の大罪だ！

今回の緊急事態宣言中にも新型コロナの感染は大きく拡がった。

世界で相次いで出現している変異ウイルスにたいする水際対策も、迅速な遺伝子検査も、政府がまともにおこなわなかったがゆえに、従来型に比べて感染力がはるかに強く重症化率も高いイギリス型の変異株が、またたくまに拡がった。それは、政府が強行した「聖火リレー」や「テスト大会」とともに各地に拡散し、いまや全国の感染の九〇%以上がイギリス型に置き換わった。〔いまインドで凄まじい感染爆発を惹きおこしているインド型の変異ウイルスも日本国内で次第に拡がりつつある。〕

そもそも「変異株が増大しているので短期での抑え込みは不可能」という専門家の強い警告を蹴飛ばして、今回の緊急事態宣言を五月十一日までのわずか十七日間で終わらせようとしたのが、菅なのだ(五月十七日に予定されていたIOC〔国際オリンピック委員会〕会長バッハ来日に間に合わせるために)。

大阪では、多くの重症者が、入院もホテル療養さえもできないで放置され、治療も受けられずに死に追いやられている。大阪の人口一〇〇万人当たりの死亡者数は、ついにインドを超えた! (入院が必要な患者が実際に入院できた比率は大阪ではわずか一〇%!)。それにつづいて全国各地で感染の拡がりにともなって病床が逼迫しはじめている。

その発足いらい菅政権は、感染が収まらないなかで「GoToキャンペーン」を強行したり、大企業のビジネス優先で海外往来を大幅に緩和したり、「自粛」要請をしながら「聖火リレー」などのオリンピックのプレ・イベントだけは強行したりしてきた。そして、「日本は欧米に比べて感染率が桁違いに低いから焦らなくていい」などとほざきながら、医療・保健体制の拡充やワクチンの国内開発への支援をネグレクトしてきた。現在の新たな感染拡大と重症者・死亡者の激増こそは、この〝大企業優先・オリンピック第一〟のデタラメな「コロナ対策」をくりかえしてきた菅政権の大犯罪にほかならない。

東京オリンピック開催を直ちに中止せよ

いまや人民の八〇%以上が「オリンピックの中止・延期」に賛成し、海外メディアでは「感染拡大イベントをやるつもりか」という声が沸騰している。それでもなお菅は、「安全・安心な大会を実現するために全力を尽くす」というフレーズをテープレコーダーのようにくりかえして、「五輪開催」にしがみついている。

このパンデミックのただなかで、数万人の海外および国内の選手・役員・関係者を東京に集中する。あまつさえ「ワクチン接種体制がつくれない」と医師会・医療従事者が怒りの声をあげているなかで、一日七〇〇人・延べ一万人もの医療従事者を大会のために動員する、などという計画は、まさに〝狂気の沙汰〟いがいの何ものでもない。医療崩壊に直面している医療従事者からは、いま囂々たる非難の声が巻き起こっている。

先の国政三選挙（衆参両院の北海道・長野・広島の補欠・再選挙）で全敗し、支持率の急激な低迷にメロメロになっている菅が人民の「反対」を無視してなおも「オリ・パラ実現」に盲進しているのは、ひとえに、みずからが自民党総裁＝首相として生き残るためなのだ。そして彼らは、オリンピック開催に巨大な利権を確保しているIOCや内外の大企業（国内では電通やトヨタなどのスポンサー企業）のために、何がなんでも「開催」を強行しようとしているのだ。地域住民の見学を規制し、ただスポンサー企業の宣伝カーだけが大音響を響かせている異様きわまりない「聖火リレー」が、その象徴だ。

このかん「復興五輪」などと銘うって被災地・福島をさんざん利用してきたこの政権は、「アンダーコントロール」＝「事故は過去のもの」とおしだすために、福島県民との「約束」を破り捨て漁民の猛反対を押しつぶして事故炉汚染水の海洋放出を決定した。まさにオリンピック強行のために被災人民を切り捨てたのだ。なにが「復興五輪」だ！

パンデミック下での東京五輪の開催強行は、破滅的な感染大爆発を惹きおこし、労働者・人民にさらなる犠牲を強制するものいがいの何ものでもない。菅政権は、ただちに東京オリンピック開催を中止せよ！

政府の反人民的な医療政策を弾劾せよ

　菅政権は、コロナ感染症蔓延のただなかにおいて、各地で感染症対策を主要に担ってきた公立・公的病院の統廃合や病床削減を促進してきた。こんにちにおいても彼らは、「地域医療構想」と称する公立・公的病院の再編計画を断行すると宣言している。「コロナ禍」で経営難に陥る病院が続出しているなかで、〝いまが病床削減・医療提供体制再編のチャンスだ〟と病院統廃合・(急性期)病床削減を進めようとしている。そのために、病床を削減する病院に補助金を支給する制度を新設するなどの医療法等改定案を、いまこのときに国会で成立させようとしているのだ。まさにコロナパンデミックのただなかで、「医療提供体制再編」を一気に進めようとしているのが、この政権なのだ。

　またこの政権は、コロナ感染症にかかわる膨大な業務で労働者が疲弊の極に追いつめられている保健所についても、その拡充・増設や定員増大を支援しようともしない。それゆえに各自治体当局は、コロナ対応業務の激増にたいして、他部署からの応援や臨時アルバイトを動員するだけで、既存の労働者にたいしては殺人的な残業を強制しているのである。

　そもそも菅政権は、年初には「まもなくワクチンが手に入るから感染は収束する」とタカをくくっていたのだ。ところがファイザー社製ワクチンをめぐるＥＵとの争奪戦に完全に敗北し、日本はたちまちワクチン接種の最後進国(ＯＥＣＤ〔経済協力開発機構〕で最下位)に転落した。この事態に焦った菅は、「七月末までに全国で高齢者接種を完了する」と宣言し、そのために「一日一〇〇万回の接種をおこなえ」というとうてい実現不可能な命令を各地方自治体に下達した。「一日一〇〇万回」はオリンピックに間に合わせるために逆算しただけの数だ！　政府からのワクチン供給の遅れゆえに高齢者接種の実行を八月・九月まで延ばさざるをえなくなっていた各自治体当局は、この無理難題の行政命令に大混乱に陥り怨嗟の声をあげている。許しがたいことに菅政権と総務省は、これらの日程を公表した自治体にたいして、地方交付金削減をもちらつかせて恫喝し、「七月末までの接種完了」をごり押ししているのである。

〔ワクチン開発で日本が遅れているのも、政府が専門家のたび重なる提言を蹴飛ばしてワクチン研究・開発への助成を打ち切ったからであり、現在もほとんど支援をおこなっていない。〕

この政権は、みずからの無策と失態には頬被りして、ワクチン接種をはじめとする医療体制の拡充も医療従事者への支援も、すべてを地方自治体の「責任」に転嫁しているのだ。彼らがやっていることは、コロナ患者を受け入れた病院にたいするわずかな補助金の支給だけだ。政府が「コロナ病床拡大」を地方自治体におしつけ、これをうけた自治体当局は、病床絶対数の増大はやらずに既存病床のコロナ用への転換を各病院に無理強いしている。だが各病院は、そもそもの病床数の払底と医療スタッフの不足のゆえに、数倍のスペースと人員を必要とするコロナ病床への転換など容易にはなしえない。たとえそれをおこなったとしても、他の重症者の治療や手術ができなくなったり、救急対応ができなくなったりする病院が続出しているのである。医師や看護師たちは

「救える命を救えない！」と悲痛な声をあげている。この政権は、こうした医療機関にたいしてなんの支援もしようとしない。看護師にたいする日雇い派遣の解禁とか、休職中の「潜在看護師」(有資格者)の臨時召集によってのりきろうとしているだけなのだ。

医療・保健体制の拡充をネグレクトする菅政権を弾劾せよ！　病床削減を促進する医療法改定を許すな！　政府はただちに医療・保健体制の拡充と医療者支援に国家予算を投じよ！

困窮する人民の切り捨てを許すな

菅政権が招きよせた感染拡大と医療崩壊、そして三度目の緊急事態宣言によって、労働者・人民の生活は、困窮の極みに追いこまれている。

各事業者への休業の強制によって、非正規雇用労働者は次々に首を切られシフトを減らされて、収入激減を強いられている。厚生労働省の公式発表でさえ、「コロナ失業」は一〇万人を超えた。実際には雇い止めを強いられた非正規雇用労働者は一〇〇万人以上、シフト削減などによって収入を奪われた「実質的失業」者は百数十万人に達している。旅客運輸・宿泊・観光などの不況業種の大企業は、非正規労働者を真っ先に切り捨て、さらに「希望退職募集」と称する正社員の大量首切りに踏みきっている。「コロナ禍」に乗じて徹底的に労働者の賃金を抑えつけ、「デジタル化」や「巣ごもり需要」で「高収益」をあげてきた大企業の経営者どももまた、「グリーンとデジタルへの転換」を基軸とする事業再編を進めるために〝今が好機〟と「希望退職」を募集しはじめた。

貧窮の底にあえぐこの人民にたいして、菅政権は追加的な生活支援・補償をいっさいおこなおうとしない。一律給付金や持続化給付金の再度の給付はあくまでも拒否している。事業者にふたたび休業や時短を強制しているにもかかわらず、雇用調整助成金(労働者の休業手当への助成金)の特例措置を、政府は五月から縮減しはじめた。休業手当が支給されていない非正規雇用労働者への〝救済措置〟として導入された休業支援金、これについても五月をもって減額しはじめた。このような状況のなかで、厚労省の特例貸付（緊急小口資金などのそれ）に頼らざるをえない生活困窮世帯が増大している。積み上がるばかりの借金をまえにして、収入が激減したままの労働者たちは、返済のあてもなく途方に暮れている。

シングルマザーなどのひとり親世帯の多くが毎日の食事もままならず、地域やＮＰＯ（非営利組織）の生活支援で飢えをしのいでいる。生活保護の申請が増加しているが、少なからぬ申請者が自治体当局のしめつけによって窓口で追い返されている。困窮の果てに自殺に追いこまれる人びとは、急速に増加しているのだ（二〇二〇年の自殺者は十一年ぶりに増加して二万人を超え、とりわけ女性が激増している）。

今回の宣言延長に際して政府は、大企業の多い百貨店・イベント業者に限り、その要望に応じて「休業要請」を「営業時間短縮要請」に緩和した。その他の事業者にたいしては〝焼け石に水〟のような協力金を支給するだけで、「自己責任で耐え忍べ」と強制している。むしろ〝潰れる業者は競争力がないのだから潰してしまえ〟というのが奴らの本音なのだ。〝優勝劣敗〟を信条とする彼らは、これを機に中小事業者の再編淘汰を一気に進めようとしているのだ。

現に緊急事態宣言下で宿泊・飲食などの中小・零細事業者の倒産・廃業が相次いでいる。経営に行きづまった中小事業者に大企業がハイエナのように襲いかかり、〝利益が上がる〟とみなした部分だけを食いあさっている。菅政権は、この大企業によるM&A(企業の合併・買収)を後押しし、コロナに便乗して企業再編＝中小企業淘汰策を貫徹しようとしている。それによっていま、大量の労働者が路頭に放り出されているのだ。

コロナパンデミックのただなかで反動菅政権は、生活苦にあえぐ人民に「自助」を強制し、さらに過酷な犠牲を受け入れさせようとしている。このネオ・ファシストどもの冷酷無比な棄民政策＝人民切り捨てを絶対に許すな！　政府は、労働者・人民にたいする直接・無条件の生活補償をただちにおこなえ！

憲法改悪・デジタル監視体制づくりをうち砕け

菅政権は、コロナパンデミックを利用して、「これ以上強い措置をとれないのは憲法に緊急事態の規定がないからだ」などと強弁し、「緊急事態条項」の新設と第九条の実質的破棄(自衛隊と交戦権の明記)を一挙に実現する憲法改悪へと突進しはじめた。その手続きを定めた国民投票法の改定案を、「CM規制強化」などを「三年後に再検討」するという口約束で立憲民主党を抱きこみ、その「賛成」に助けられて衆議院で可決させた。もってこの政権は、すべての野党を〝改憲論議〟の土俵にとりこんだ。自民党は、「三年後の再検討(立民の要求をとりいれた付帯条項)よりも前に改憲発議をやれば良い」などと傲然とうそぶいているのだ。

彼らが狙っている「緊急事態条項」の新設と第九条の破棄は、＜米・中冷戦＞の激化のもとで、日本を〝アメリカとともに戦争をやれる国〟へと飛躍させるとともに、首相への〝非常大権〟の付与をつうじて日本型ネオ・ファシズム支配体制を飛躍的に強化するためのものである。いま菅政権は、アメリカ・バイデン政権とともに、「新たな時代における日米グローバル・パートナーシップ」の名において、日米軍事同盟を対中攻守同盟として飛躍的に強化することを世界に宣明した（4・16日米共同声明）。このパンデミックのただなかで、日米共同の対中国先制攻撃体制を構築するために、――福祉・医療などの予算を徹底的に抑制しながら――辺野古新基地建設を急ぎ、沖縄・南西諸島に中国を標的としたスタンドオフミサイルなどを配備しようとしているのが、安保の鎖につながれた〝属国日本〟の菅政権なのだ。まさにそのためにこそ彼らは、いま憲法改悪に突き進んでいるのだ。

それだけではない。この政権は、NSC(国家安全保障会議)専制の強権的支配体制を強化するためにいま、人民にたいする〝デジタル総監視＝総管理体制〟をつくりだすことに狂奔している。そのために、デジタル庁新設法案をはじめとするデジタル関連諸法案を、野党の腰抜けの対応のゆえに猛スピードで成立させた(五月十二日)。

みずからがコロナウイルスを世界に撒き散らしておきながら徹底した強権的統制と人民のデジタル監視＝管理でコロナ感染症を抑えこんだ中国、デジタル・ネットワークをフルに使って感染症の拡大をいったんは封じこめた台湾、――これらの対策に垂涎しながら、いまこそ立ち遅れている「行政のデジタル化」を加速し、中国・台湾なみのデジタル監視システムをつくりだすことに突進しているのである。

彼らは、マイナンバーカードをベースにしながら、これと健康保険証や運転免許証を一体化し、さらには銀行口座や各種デジタル決済などをひも付けしようとしている。また、各省庁・地方自治体・公的機関がそれぞれに保有する国民の個人情報を機関横断的に標準化し、政府中枢＝NSS(国家安全保障局)から常時アクセスできるシステムをつくろうとしている。そうすることによって国民一人ひとりの生活・信条・収支・資産・納税・健康・犯歴などをNSCとデジタル庁のもとに一元的に集約しリアルタイムに監視し管理しようとしているのである。まさにそれは、NSC専制という現実的姿態をとる日本型ネオ・ファシズム体制を、〝戦争をやれる国〟にふさわしく一挙的に強化する攻撃にほかならない。

それとともにこの政権は、「難民認定」を求める外国人を排除しその強制送還を〝迅速化〟する出入国管理法の改定を強行しようとしている(人民の反対のゆえに断念)。

日本型ネオ・ファシズム支配体制の強権的強化反対！ デジタル総監視＝総管理体制づくり反対！ 憲法改悪反対！ 「緊急事態条項」新設と第九条の改悪を許すな！ 国民投票法改定を阻止しよう！ 入管法改定を許すな！ 日米軍事同盟の対中国攻守

同盟としての強化反対！

「改憲論議」を翼賛する「連合」労働貴族を弾劾せよ！　総選挙向けの政策宣伝に埋没する日本共産党・「全労連」指導部を許すな！

菅政権が感染拡大防止よりも大企業のための「経済回復」と政権延命のための「オリンピック」を一貫して優先してきたがゆえに、未曽有のパンデミックはいまなお拡大をつづけ、日本の労働者階級・人民は塗炭の苦しみを強制されている。

このパンデミックのなかで、政府・日銀の際限なき金融緩和と株価つり上げによって暴利を獲得するとともに、労働者の賃金を切り下げ搾取を強化するだけでなく人民から徹底的に収奪した大企業と独占ブルジョアどもが、みずからの富を一気に数層倍膨らませた（投資と投機によってグーグルやアマゾンをもしのぐ五兆円もの純利益を懐にしたソフトバンクを見よ！）。このブルジョアどもによって徹底的に搾取され収奪され、あげくのはてに働く場さえも奪われて放り出された労働者たちは、日々の寝食もままならぬ貧窮のどん底に突き落とされ、コロナに感染してもまともな医療も受けられずに放置されている。

コロナパンデミックがはじまってから一年以上が経過した現在、ますます露わとなったこの凄まじい〝格差〟こそは、資本主義社会における階級対立の、資本家階級と賃労働者階級との根本的対立の如実な現われにほかならない。

いまこそわが革命的左翼は、「持続可能な社会への転換」だの「資本主義の国民本位の立て直し」だのといった日共ネオ・スターリニストどもの愚劣な〝代案〟をふきとばし、独占ブルジョアジーとその政府による新たな総攻撃をうち砕く労働者階級の反転攻勢を組織するのでなければならない。

反人民性を剥きだしにした菅日本型ネオ・ファシズム政権を、労働者・学生・人民の総力で打倒せよ！

（二〇二一年五月十六日）

菅政権による東京五輪開催・「ワクチン加速」の反人民性

薬師寺京子

菅政権は、いまおのれの政権をなんとか延命させるために、東京五輪の開催を強行しようとしている。「開催反対」の労働者・人民の声を踏みにじって、感染爆発・医療崩壊を招く五輪開催を強行しようとしているのが、菅日本型ネオ・ファシズム政権なのだ。首相の菅義偉や閣僚ども・五輪の組織委員どもは、選手に優先的にワクチンを接種するとか毎日PCR検査(ウイルスの遺伝子検査)を受けさせるとかと喧伝し、五輪への医師・看護師の動員や五輪選手用の病床確保を医療機関や地方自治体当局に強要しようとしている。彼らは、「医療者の動員は一万人でなく七〇〇〇人に減らす」からいいじゃないか、「コロナに対応していない医師」にきてもらえばいいじゃないか、などの暴言をくりかえしている。

この菅政権にたいしていま、医療労働者たちは怒りを沸騰させている。感染拡大の「第四波」において、大阪や北海道そして沖縄と、次々に「医療崩壊」といわれる事態がもたらされた。これら全国各地で新型コロナウイルス感染の患者に対応できる病床が埋まり、医療労働者が治療を施したくても施せないままに自宅療養中に死亡する患者が相次いできた。このような医療崩壊を菅政権自身が招いておきながら、さらなる感染爆発を招く五輪開催を強行しようとしているのだ。

　これまで、感染症や呼吸器の専門家ばかりか外科医や産婦人科医までもコロナ感染症の患者の治療にかりだされてきた。彼らは、コロナ患者の検査や治療にも通常の地域医療にも、疲労の極に達しながら従事してきた。さらにこれらの診療のうえに、自分たち自身の接種が終わらないうちに地域の高齢者を対象にしたワクチン接種に動員され、かつ病院での個別接種の打ち手にもならなければならない。毎日毎日新たな業務が追加され長時間超強度の労働を強いられている医療労働者たちは叫んでいる――「これ以上どうやって働けというのか」「救える命も救えないでいるいま、誰のための何のための五輪なのか」と。政権延命のために五輪開催にしがみつく菅政権にたいして、いま労働者・人民の怒りはいや増しにましている。

　われわれは、「衆院選で政権交代」を呼びかけるにすぎない日本共産党をはじめとした既成諸政党を弾劾し、いまこそ労働者・学生・人民の実力で菅日本型ネオ・ファシズム政権の打倒をめざしてたたかおう！

Ⅰ　医療労働者に労働強化、高齢者に混乱・苦痛を強要

　いま菅政権は五輪開催に向けて〝ワクチン接種の実績を上げろ〟と、とにかくにもワクチン接種の〝数を増やす〟ための施策をうちだしている。菅政権は「一日一〇〇万件の接種」を呼号しながら、自衛隊による「大規模接種センター」を東京・大阪に設置した（二〇二一年五月二十四日）。だが、高齢者の実状などまったく無視した〝予約はネット受付・会場は都心〟というこの大規模接種は、開始後三週間を経ずして予約の八割が埋まらない状態にたちいたった。政府・防衛省はあわてて自衛官たちを接種対象にしたり接種対象を全国に広げたり（それでも閑

古鳥が鳴き)、さらに六十四歳以下へ対象を拡大する(六月十六日から予約受付)など、破綻した「一日一万件の会場」の弥縫に大童なのだ。

そしていま、企業別におこなう「職場接種」や、「職域接種」と称する企業・学校単位(地域住民を含める場合もあり)の集団接種を開始させようとしている。政府自身が当初決めていた優先順位――医療従事者・高齢者・基礎疾患をもつ人……の順に――などはないがしろにして、〝できるところから早く〟と「加速」を号令しているのだ。

菅の命令に従って、多くの地方自治体当局は、公立・公的病院当局や地元医師会にたいして、集団接種会場への医師・看護師の動員と病院・診療所での患者への個別接種を、有無を言わさず押しつけてきている。菅政権は、〝いまは有事〟だから〝救急救命士や臨床検査技師にも打たせろ〟などと叫びつつ、マスコミを使って〝ワクチン接種の生産性を上げるために「トヨタ・カイゼン方式」に学ぶべし〟とも喧伝させている。「ワクチン接種加速」策の実施は、国を挙げての「生産性向上」運動の様相さえも呈しているのだ。

この犠牲になっているのは、「生産性向上」に駆りたてられている医療労働者と「効率第一」ゆえに〝事故〟などの危険性の高い接種を受けさせられかねない日本の労働者・人民なのだ。一般的にも、毒性を薄めた病原体などを体内に注入する予防接種という行為を、「生産性重視」でやらせるなどということ自体、危険きわまりない。とりわけ今回急きょ開発されたｍＲＮＡ(メッセンジャーＲＮＡ)を使用した「遺伝子ワクチン」という新型コロナウイルスのワクチンは、副反応が強くアナフィラキシーをおこす確率も高い。

すでに、この〝数を稼ぐ〟式のワクチンの接種は、全国各地で様ざまのトラブル・住民への被害をもたらし、菅政権の犯罪性は、いまや誰の目にも明らかになっている。

第一に、集団接種会場での〝ミス〟の頻発である。ワクチン保冷用の冷蔵庫の電源が入っていなかったとか、他の人に使用した空の注射器の針を別の人にさしたとか、希釈しない濃い薬液を注入したとか、同じ人に三度ワクチンを打った……等々。これらは、注射を受けた高齢者の身体に直接的にダメージを与えてしまっている。これらのミスは直接の担い手の技術性に決して還元できない。「何時間で何人」といういわば〝苛酷なノルマ制〟といえるような多人数の接種を――見ず知らずの人の「本人確認」・予診票のチェックや接種後の十分な観察を含めて――やり遂げさせるという過重な労働を、接種を担う医療労働者に強いているがゆえなのだ。

第二に、予約システムの不備、破綻ともいえる大混乱である。接種のためのシステムづくりをしてきた地元市町村の予約受付・接種の態勢づくりなどとまったく無縁に、五月になって急きょ「七月までに高齢者を終わらせろ」と政府・総務省が各自治体に圧力をかけ「加速」を迫った。この「加速」の恫喝を受け入れた市区町村においては、ワクチン担当の自治体労働者たちは、予約取り直しなどの諸業務に奔走することになり、やっとのことでとった予約の変更を迫られる高齢者住民たちは、不安と混迷にたたきこまれた。

菅が命じた東京・大阪の大規模接種センターの設置も混乱を倍加させた。この大規模センターで接種を受けた人が、すでに予約していた地元自治体での予約を取り消すことができず（電話やネットが繋がらないなど）土壇場でのキャンセル判明の例が続出。逆に、市区町村で接種をすませてしまった人が予約してあった大規模接種センターに行かなかった例も多い（東京の会場で一日に一〇〇〇人を超えるキャンセルがあったとのこと）。とりわけ市区町村の会場で使用しているファイザー社製ワクチンは、保存が難しいためキャンセルがでた場合にすぐ別の人に打たなければ破棄せざるをえなくなる。市区町村の担当者が必死に代替の人を探すということが頻発した。

当初、このワクチン接種の予約受付・接種後の登録などのデジタル処理のシステムは、菅政権による〝ワクチン接種のマイナンバーでの管理〟というどす黒い意図にもとづいて準備されていた。それゆえに、業務に当たる自治体労働者や医療労働者さらには接種を受ける人民にたいしての利便性などをまったく考慮していない。一例としてワクチン担当相・河野太郎の肝いりのシステム（「VRS」というワクチン接種を国に報告するシステム）は、〝接種券のOCR読み取りもカメラを七・五センチメートル離してピントを必死に合わせないとできない〟という代物であり、〝カメラの台を用意しろ〟とか、〝手を間に入れてピントを合わせろ〟とかの余計な〝業務指示〟を医療労働者に強いるものとなっている。

高齢者を対象とした接種が本格的に始まった五月上旬には、ネット申し込みの多い都市圏ではシステム障害が頻発。そのうえに電話回線もパンクし、高齢者たちが「電話しても繋がらないし、ネット予約を子どもに頼んだができなかった」とあせり・憔悴している。

このように、今日の菅政権の〝ワクチン政策〟は、医療労働者や自治体労働者には極限的な労働強化を強い、接種を受ける高齢者、労働者・人民には混乱と苦痛をもたらしているのだ。

Ⅱ　新型コロナ感染対策を放擲してきた菅政権

菅みずからが「先頭でワクチン加速に努力してい

る」などと喧伝し「早く、早く」といま〝数打つ〟ことを医療労働者に強制しているのであるが、その実、日本のワクチン接種が遅れた責任は菅政権にある。昨年末から今年初めの「第三波」が始まるまで、菅政権は「日本の感染対策はうまくいっている」とたかをくくり、ワクチンや治療薬について国内の研究開発の支援にまったくのりださないばかりか、欧米開発ワクチンの輸入にもたち後れた。EU諸国権力者どもが自国のワクチン確保に必死となって〝ワクチン争奪戦〟をくりひろげはじめてから遅ればせながら〝参戦〟したうえで「敗北」したのである。三月から四月にかけて、ファイザー社製のワクチンが日本に届くたびに「〇箱届きました」とさもさもらしくマスコミに宣伝させたものの、四月までは必要量の一％にも満たないワクチンが都道府県に分けられただけであった。

〔菅政権は、ファイザー社製・モデルナ社製のワクチンが十分確保できるとみなした現在、血栓ができるという副反応が指摘され日本の集団接種では使用しないことにしているアストラゼネカ社製（日本で生産）のワクチンを、台湾やベトナムに提供したことを宣伝している。菅政権は、アメリカ帝国主義バイデン政権に隷従しつつ日米軍事同盟を文字どおりの対中国攻守同盟として強化することを宣言したことにふまえて、中国の「ワクチン外交」に対抗して、余ったワクチンを〝反中国〟のアジア諸国に提供しているのだ。〕

そればかりではない。今日の新型コロナウイルス感染の全国的蔓延は、ほかならぬ菅政権が独占資本家どもの意を受けて「経済再生」とそのための「需要喚起」を最優先して、感染対策を放擲しつづけてきたがゆえではないか。

この政権は、今年三月から東京五輪をめざした聖火リレーを、欺瞞的にも「復興五輪」などと称して福島を出発点にして強行した。日本各地で感染者が激増したがゆえに途中からは多くの自治体が「無観客」や「公道使用の中止」に切り替えたとはいえ、すでにおこなわれたリレーの沿線ではこれまで感染者の少なかった地域も含めて新規感染者が激増した。スポンサー企業名を大書したトラックを使ってドンチャン騒ぎをさせながら有名人ランナーも走らせたこの聖火リレーや「オリンピック・テスト大会」の強行によって、変異型となったウイルスが全国各地に拡がっていったと推測しうる。

菅政権みずからが「人流」を増やし感染拡大を招いておきながら、労働者・人民には「自粛」を強要してきたあげく、いま海外から選手や関係者を含めて九万人を受け入れ、日本人選手・観客・ボランティア・警備などを「密」に〝結集〟させる東京五輪の実施を強行しようとしているのだ。

そしてこの政権は、成立以来すでに二度発出した「緊急事態宣言」によって休業を強いられる中小零細企業への補償や失業者への生活援助などへの国家財政支出を、ドシドシ削減している。東京五輪に一・八兆円もの財政を投じようとしながら、緊急事態宣言のもとで休業したりアルコール販売を止めたりしている飲食店や娯楽・商業施設にたいしての補償や、いままさに首切りにあったり、一時帰休・シフト減の事実上の失業にあったりして困窮に突き落とされている労働者への補償を増やすどころか減額してきているのが、極反動菅政権なのだ。

われわれは、菅日本型ネオ・ファシズム政権の延命を許してはならない。感染爆発・医療崩壊を招く五輪開催反対！　困窮人民切り捨てを許すな！

（二〇二一年六月十七日）

〔付記〕

「ワクチン接種を加速せよ」と号令をかけ続けてきた菅政権みずからが、いまや必要量のワクチンを調達できないという無能・無策をさらけだしている。この政権は、「一日のワクチン配送可能量の上限に達した」ことを理由にして六月二十五日に職場・大学接種の受付を停止。さらには六月二十九日に自治体当局にたいして、接種の「ペースを供給と合わせる」ように（「スピードを落とせ」の意味）指示した。六月半ばより政府から自治体に届くファイザー社製のワクチンの量が減りはじめていたことに危機感をもった全国の知事たちが〝政府は必要なワクチンを届けてくれ〟と全国知事会で要請したことにたいして、〝そっちこそ接種のペースを供給に合わせろ〟と蹴飛ばしたのが、傲慢かつ無能な菅政権なのである。

これまでさんざん〝接種の数を増やせ〟と叫びたててきた政府が、いまになって職場・大規模接種会場向けのモデルナ社製と自治体向けのファイザー社製の両方とも、〝申請されているワクチンの量に政府の供給量が満たない〟ことを自白。当然にも届くはずのワクチンをあてにして準備を進めてきた自治体当局・職場接種の企画担当者や医師たちから批判が噴出。労働者・人民の怒りも沸騰している。

これにたいして首相・菅やワクチン担当相・河野らは、一言の謝罪も反省もなく一切責任をとろうとしていない。「予想をはるかに超える申し込み」（菅）だったからだとか、「配送限界」（河野）だとか、「自治体間、医療機関の中に在庫がたまっている可能性」（厚生労働相・田村憲久）があるだとかと、ほざいている。

菅日本型ネオ・ファシズム政権は、感染対策を放棄しつづけたあげく、「切り札」と称したワクチン接種事業も破綻させているのだ。

感染対策を放擲し「ワクチン接種の加速化」を号令

三回目の緊急事態宣言を延長（二一年五月二十八日決定、三十一日実施）した首相・菅義偉は、「感染対策の決め手」と称して「ワクチン接種の加速化」を号令している。「一日百万回の接種」で「希望するすべての高齢者に二回接種を七月末までにおわらせる」と見得を切ったのが、支持率も低下しヨレヨレになっている菅である。

この菅にたいして、労働者・人民は、いっせいに憤怒と怨嗟の声をあげている。これまで八月以降も接種する計画をたて予約をとってきた市区町村当局は、いま〝予約とり直し〟の業務に追いたてられようとしている。すでに受付けが始まっている高齢者のワクチン予約業務も、相次ぐシステム障害や電話回線のパンクにみまわれている。そのうえに予約変更業務も強いられる自治体労働者は、さらなる労働強化に苛まれるのだ。

自治体・医療労働者への犠牲強要を許すな

急増する新型コロナウイルス感染者や疑いのある人々の検査・治療・看護をしながらワクチン接種もおこなっている医療労働者らも、「過労死寸前だ！」「このうえ五輪に看護師など出せるか！」と叫んでいる。

政権延命をかけて東京五輪を強行するために「ワクチンを早く打て」と号令している菅政権――この政権が感染対策をなおざりにして感染蔓延を加速させてきたのだ。「経済回復」を最優先して「ＧｏＴｏトラベル」を続行、首相・自民党議員・厚生労働省官僚らが多人数で会食三昧、スポンサー企業を先頭にして人を密集させての聖火リレーの強行……等々の悪行を見よ！

そして、菅政権じしんが、これまでワクチンを必要量調達できず、接種計画をズルズル遅らせてきたのではないか。少量ずつしか届かないワクチンを前に、地方自治体のワクチン担当部署の職員は、幾度も計画の練り直しを強いられてきた。四月までに都道府県に分けられたワクチンの量はあまりに少量。接種の直接の担当となる市区町村当局は、この少量のワクチンを、医療従事者枠・高齢者枠の人たちにどのような優先順位で接種するのかに苦慮した（クラスター発生率の高い高齢者施設からや、年齢の高い八十五歳以上からなど）。

欧州で製造したファイザー社のワクチンを輸入しようとしていた日本政府は、自国のワクチン確保のために輸出制限にのりだしたＥＵ諸国権力者たちとの〝ワクチン争奪戦〟に敗北したのである。アメリカの〝属国〟である日本の政府権力者は、〝アメリカの企業に頼めば何とかなる〟と甘く考えていたのであろう。国内でのワクチン開発を支援することにもまったくのりださなかったのだ。

この〝ワクチン遅れ〟のみずからの責任に頬被りしつつ、この遅れを取り戻すために〝人手が足りないなら「休んでいる看護師」や歯科医師にも接種させろ〟と息巻いているのが、反動菅政権なのだ。

　インフルエンザ・ワクチンなどに比しても新型コロナ・ワクチンの接種は〝手間ひまかかる〟のであり医療労働者に負担を強いるものである。

　現在使用されているファイザー社のワクチンは、マイナス七〇度前後の超低温保存や衝撃を与えない運搬・取り扱いに加えて接種直前に懸濁液（けんだくえき）を生理食塩水で希釈するなどの使用上の課題がある。特殊冷蔵庫の設置場所・運搬方法・接種会場の人員配置などを緻密に構想しなければ、薬剤を毀損したりムダにしたりすることになりかねない。さらに、インフルエンザ・ワクチンに比してアナフィラキシーの起こる割合がはるかに高いので（インフルエンザ・ワクチンの約十一倍）、副反応にそなえて事前の問診をきちんととることや、アナフィラキシー発生にそなえて点滴や高次病院への搬送など構想とシミュレーションと器具の準備などが不可欠である。（臨機応変な手当がむずかしい集団接種会場でも、副反応対策を緻密に練っておかねばならない。）また、このワクチンは筋肉注射用であるので、接種を担う人は、インフルエンザ・ワクチンなどの皮下注射の時以上に神経の走行を避けるなどの注意が必要である。同時に接種の受け手はしっかり（肩が見えるほど）袖をまくった準備が必要となる。パカパカ打てばいいというものではない。

　だがさらに、菅政権は「一日一万回接種」の大型接種会場で自衛官を接種にあたらせることをも画策している。そして、このような自衛隊活用と軌を一にして、感染蔓延にたいする労働者・人民の不安に乗じて「憲法には緊急事態条項が必要」「自衛隊の明記を」などと喧伝し改憲につき進もうとしているのが、ネオ・ファシスト菅なのだ。

　われわれは、いまこそ菅日本型ネオ・ファシズム政権の打倒をめざしてたたかうのでなければならない。

（二〇二一年五月十五日）

菅政権の社会保障制度改悪を許すな

上坂あゆみ

菅政権は、新型コロナウイルス感染症の患者たちへの治療のために奔走している医療労働者にたいして、政府としての支援を放棄してきたばかりか、「五輪への派遣」とか「ワクチン接種加速」とかの無理難題を次々に押しつけてきた。

コロナ患者の入院を受け入れている病院において、厳しい労働に苛まれているのはコロナ病棟勤務の医療労働者ばかりではない。一般病棟の一部か全部を〝コロナ病棟〟としてそこに医師や看護師の多くを集中しているがゆえに、人員の減ったほかの病棟に勤務する医療労働者もまた一挙に労働強化を強いられてきている。第三波・第四波においては、これらの多くの病院では通常おこなっていた救急医療やガンの手術やガン検診・特定健診などを一時中断せざるをえないほどに、〝コロナ治療〟への集中を迫られてきた。また〝コロナ病棟〟がない病院や診療所の労働者も、通常業務のほかに発熱などのコロナ感染の疑いのある患者の診察・検査、陽性者の保健所への連絡・〝コロナ病棟〟への紹介などに駆りたてられてきている。

昨二〇二〇年末からの第三波の感染拡大の時に、東京をはじめとした首都圏では感染者用の病床・医療スタッフがまったく不足し、多くの人々が自宅療養のまま亡くなった。そうであるがゆえに〝いったん感染者が減少したら（第三波より拡大するであろう）第四波に備えねばならない〟ことが医療従事者や感染症の専門家から叫ばれていた。だが、菅政権は「医療提供体制の整備は都道府県の管轄」と称して、医療機関の支援にはまったくのりださなかったのだ。

それればかりではない。この政権は、従来から予定してきた公立・公的の四四〇病院の統廃合について「予定通り進める」と公言している。また、歴代自民党政権が感染症病棟をもつ公立病院などをどしどし統廃合してきたことには口をぬぐって、「民間病院の八割ちかくがコロナ患者を入院させていないのはおかしい」などと、〝民間病院たたき〟をおこなってもいる。政府が〝経営効率が悪い〟と判定した公立・公的病院や政府の「医療構想」を基準にすると〝ムダだ〟とみなした中小病院にたいして、これらの病院がコロナ・パンデミックのもとで多忙を極めつつも経営難におちいっているこの時とばかりに、閉院・病床削減を進めさせようとしているのだ。今回のコロナ・パンデミックを活用して医療サービス提供体制の再編を一挙におしすすめようとしているのが、反動菅政権なのだ。

「国民皆保険制度」ともいわれる日本の医療制度は、公的医療保険制度をその財政的基盤とし、「自由開業医制」を医療サービス提供体制の基本としてきた。公的医療保険制度は、国民健康保険・企業の被雇用者が加入する社会保険・国公立や公的施設の職員などの共済組合保険などの保険を、加入者の保険料と一部を公費（国や自治体からの支出）を財源として運用するものであり、「自由開業医制」は、国公立病院の数を限定しつつ民間医療機関の育成を軸とするものである。コロナ・パンデミックでの「医療崩壊」が叫ばれているただなかで、菅政権は、この日本の医療制度の両面にわたって、一挙に再編＝改悪しようとしているのだ。

(1)　医療サービス提供体制の再編

いま菅政権は、かねてより政府・厚生労働省が提案していた「二〇二五年型モデル」(註)という医療提供体制の未来像にむかって、病院・診療所・介護施設の再編成を進めようとしている。

政府・厚労省は、医療機関経営者たちにたいして、「地域医療構想」通りに「診療所」や「リハビリ」や「在宅受け入れ」など役割をはっきりさせ、しかも政府が「必要」とみなしたときには感染症患者の入院を受け入れさせることなどを押しこもうとしているのだ。〔二〇二一年「骨太の方針」には、「平時と緊急時で医療提供体制を迅速かつ柔軟に切り替える仕組み」をつくるべきことが盛りこまれている。〕

そのように医療機関を政府の政策に忠実に従わせるためには、民間病院経営者たちにたいして診療報酬の配分によって〝利益誘導〟する(自由開業医制の特徴の一つ)という従来の方法のみでは限界があるとみなしているのが、今日の菅政権なのだ。それゆえに、このネオ・ファシズム政権は、都道府県知事らの指示に従わない病院名は公表するなどの罰則も盛りこんだコロナ特措法や改悪した感染症法を活用して、医療機関経営者たちにたいして〝強制力〟を駆使しようとしている。公立公的病院だけでなく民間病院・開業医にたいしても「コロナの患者を入院させろ」とか、「五輪に医者を出せ」とか、(はては「非常時・戦時の動員」なども)という政府の施策に忠実に従うことを求めようとしているのだ。そのために、医療機関にたいする法的拘束力を強めるだけでなく〝医師会叩き〟・〝中小病院叩き〟をマスコミを使っておこなわせているのが、反動菅政権なのだ。

また同時に、今回強行可決させた「改正医療法」には、政府・自治体の施策に沿って病床機能を見直し病床数を削減した医療機関当局には「財政支援」すること(病床削減すると一床あたり「〇〇〇万円支給」というように)を盛りこんでいる。菅政権は、まさしく〝アメとムチ〟を駆使して医療サービス提供体制の再編を一気呵成におしすすめようとしているのだ。

このような菅政権の医療政策は、公立・民間を問わず医療機関経営者たちに「経営効率第一」の経営労務施策を強要するものである。政府の医療政策に従って生き残ろうとする医療機関経営者どもは、まさに医療労働者にたいして賃金切り下げや労働強化の攻撃にうってでようとしている。菅日本型ネオ・ファシズム政権は、コロナ・パンデミックのもとで苦闘する医療労働者をさらなる苦難に突き落とそうとしているのだ。

(2) 自己負担増大を強いる医療保険制度の改悪

それればかりではない。今回成立させた医療制度改革関連法には、一定以上の収入がある七十五歳以上の高齢者（単身で年収が二〇〇万円以上）にたいして医療費窓口負担を二倍にすることを盛りこんでいる。これによって高齢者の三七〇万人以上が倍増する医療費自己負担に苦しむことになる。値上がりする医療費の自己負担に耐えられない人は受診を控えざるをえなくなる。七十五歳以上の高齢者の多くが持病をかかえ体調をこわすこともたびたびあって通院や入院を要している。そして検査・薬・手術などがより必要な人ほど「二倍の自己負担はムリだ」と絶望に陥っている。彼らにとって、この負担増大は〝医療を受けるな〟ということを意味する。菅政権は、高齢者が体調が悪く持病があっても医療機関への受診を控えるようになることを狙っているのである。

今日のコロナ・パンデミックのもとで、症状がないが〝コロナ・ウイルスの感染が気になる〟という人々の多くが、保険のきかない自由診療扱いのクリニックや〝診察なし〟で「医療機関」ではない検査センターなどにかかって「自費」のPCR検査（ウイルスの遺伝子検査）を受けている。また、高齢者をはじめとした少なくない労働者・人民が感染機会を減らすために病院受診を控え、風邪薬・解熱鎮痛剤や胃薬やかゆみ止め・湿布薬……などなどの市販薬をドラッグストアで手に入れている。このような〝具合が悪くても医者にかからない〟で〝保険診療でなく自費負担で薬や医療サービスを買う〟対応が

「ポスト・コロナ」においても日本人の慣習になることこそを、菅政権は狙っているのである。

「自助、まず自分でやってみる」を強調してきた菅は、コロナ・パンデミックのもとで一時「国民皆保険制度の見直し」などと本音を口にした(今二一年一月十三日の記者会見)。このネオ・ファシズム政権は、〝アメリカとともに戦争をやれる国〟への日本国家の飛躍をめざして、国家財政からの軍事費の支出や在日米軍への「思いやり予算」を増大させる他面、社会保障関連の支出をドシドシ削減しようとしている。そのために、国家財政からの支出を要する公的保険の給付をできるだけ減らし人民の自己負担を増大させることを画策してきた。保険給付部分を減らすために、窓口自己負担分を増大させる今回の七十五歳以上の負担倍増と同時に、保険適用ではない「自費」の医療サービスの売買を拡大させようとしているのが、菅政権なのだ。

〝金のある人は自費で良い医療を受け、病気で医療費が払えない貧乏人はさっさと死んでもらいたい〟というのが菅政権の本音であり、まさしく優勝劣敗の社会ダーウィニズムの思想なのである。

一九六一年から開始された日本の国民皆保険制度は、〝誰でもどこでも安く良い医療を受けられる〟を謳ってきた。だが、一九八〇年代の中曽根政権による「自助型福祉」への社会政策の転換や二〇〇〇年代の小泉政権の「医療構造改革」と称する新自由主義的改悪によって、労働者・人民の負担が増やされ多くの公立・公的病院が統廃合されるなど、改悪を重ねられてきた。そしていま菅政権は、このパンデミック恐慌のもとで、労働者・人民が貧困と病苦に突き落とされながら医療崩壊に直面しているまさにこのとき、日本の国民皆保険制度を事実上骨抜きにすることを企んでいるのである。

われわれはこれを断じて許すことはできない。

(3) 医療・介護における「デジタル化」の推進

そしていま菅政権は、「デジタルとグリーン」の掛け声のもと、医療・介護分野においても「デジタル化」を進めようとしている。すでに昨年の感染拡大のもとで推奨されてきた「オンライン診療」や「電子処方箋」ばかりでなく、全国の医療機関で患者の医療情報を確認できるしくみやマイナポータルへの個人の医療データの蓄積などをおしすすめようとしている。

介護分野においては、今年四月からの介護報酬改定において、利用者の状態改善（オムツをはずしても良い状態になったなど）につながる「科学的介護」の「成果」をデジタル情報として厚労省に報告すれば加算されることになり、このデータベースである「科学的介護情報システム（ＬＩＦＥ）」が始動している。いま、全国の介護事業者から送られた利用者の「既往歴、日常生活動作、栄養状態、認知症」などにかんするデジタルデータが、厚労省・デジタル庁のもとに集積されているのだ。

そして、医療（保険料納付や受診歴・窓口負担額など）や介護（保険料・利用料・その他のデータ）などを、納税や年金の受給などの記録とともにデジタル情報としてマイナンバーと紐づけすることをも、菅政権は狙っている。

このような社会保障関連の負担と給付を政府がデジタル情報として一元的に管理することのねらいは、直接的には、政府が給付の〝ムダ〟とみなす部分を徹底的に削減するとともに、保険料・利用料など人民の負担分の取り漏れをなくすことである。また政府は、これらの医療・介護・健康にかかわるデータの一部を医薬品業界・いわゆる〝健康産業〟・ＩＴ企業などの独占資本家どもに提供することも企んでいる。菅政権は、日本の産業構造の再編を促すために、〝デジタル化〟を進める独占資本家どもにドシドシといわゆる「利殖の機会」を与えようとしているのだ。

それればかりではない。強権的＝軍事的支配体制を強化することを企む菅政権は、わが革命的左翼をはじめとした闘う労働者・人民の監視や弾圧にも、首相・ＮＳＣ（国家安全保障会議）が一元的に管理する納税・健康・運転などの情報を活用することをも画策しているであろう。〝一億総デジタル監視〟体制を構築しようとしているのが、菅ネオ・ファシズム政権なのだ。いま医療制度改革関連法とともに「土地利用規制法」という人民監視・弾圧法を強行可決した菅政権は、反戦・反基地などの反対運動の弾圧にこれを活用しようとしている。

パンデミックをも活用して〝非常時〟〝有事〟には首相に強い権限が必要であることを喧伝しつつ、「緊急事態条項」の創設と「戦争放棄・戦力不保持」を謳った憲法第九条の破棄を核心とする憲法改悪へと菅政権が突進することを、われわれは断固阻止しなければならない。われわれは、菅政権による社会保障制度のさらなる改悪を許さず、憲法改悪阻止・反戦反安保の闘いをも高揚させるのでなければならない。

菅政権への怒りにうち震えつつも日共中央・既成労組指導部の闘争放棄のゆえに過労と絶望にあえいでいる医療・介護労働者たちに呼びかけよう。全産別の労働者と連帯し階級的団結をうち固め、労働者・学生の実力で菅日本型ネオ・ファシズム政権を打ち倒そう!

註　二〇一三年に安倍政権が制定した「社会保障改革に関するプログラム法」に盛りこまれた医療・介護提供体制の再編案。団塊の世代の全員が七十五歳以上となる二五年までに、国家財政からの支出を要する（公的保険が適用される）医療費総額を抑えるために、高度な医療を受ける患者や長期入院の患者を減らしていくことがねらい。そのために医療機関の機能・役割を明確にさせつつ——①高度急性期・急性期病床などを大きく削減し、②急性期を脱した患者や在宅療養の患者が具合の悪くなった場合の〝受け皿〟となる病床を増やすことや、③「治す医療」の対象外とみなした患者は介護施設や在宅療養・介護の対象にすること——これらを盛りこんだ。この「再編案」にのっとって、政府・厚労省・総務省がすでに各都道府県当局に「地域医療構想」をたてさせており、この「構想」にもとづいて、公立・民間の医療機関の統廃合や民間医療機関の機能分化・淘汰を進めようとしている。（本誌第二九九号、湯川翠子論文参照）

困窮者が申請をためらう生活保護制度

島崎　肇

生活苦に突き落とされる非正規雇用労働者

コロナ・パンデミック下で首を切られ賃金を切り下げられた労働者の生活苦が深まっている。立場が弱い女性が派遣切りや雇い止めにされている。女性の非正規雇用労働者数はこの一年あまりで男性の三倍も減少した。そのうえ、シフトを五割以上減らされても失業や雇い止めにはなっていないことを理由にして休業手当を受け取れないという労働者が激増している。収入が激減して生活できないパートやアルバイトの女性が一〇〇万人以上にのぼっているという。仕事を失うことで、即、住居を失うことになる労働者も増えている。会社寮や社宅入居者は、首切り・雇い止めにされれば住居からも追いだされ、路上での生活を強いられることにもなるのだ。

このような生活苦の労働者に何が起きているのか。生活困窮を苦にした自殺者が激増している。厚生労働省は昨二〇二〇年の自殺者数、特に女性や若者の自殺が大幅に増加したと発表した。前年比で女性は一五・四%、二十代の若者は一九%増加。こうした自死の増加について政府は、生活困窮や家庭内暴力などの問題が新型コロナウイルスの流行で深刻化したがゆえだという。だが、こうした困窮が深刻化する労働者・人民への支援がされていないことを国会で問われた首相・菅義偉は、「最後は生活保護がある」と言い放った。コロナ感染の拡大を理由とした首切り・賃下げにたいしては対策をうたないと、完全にひらき直ったのだ。しかも「健康で文化的な最低限度の生活」(憲法第二十五条)を保障する制度と謳っている生活保護の、申請を受けつける実際の現場では、福祉労働者が胸を痛めるような悲惨な現実がうみだされているのだ。

貧窮者激増のもとでも減少する生活保護受給者

労働者・人民の生活困窮が深刻化し、生活保護を必要とする人は激増しているにもかかわらず、実際の生活保護の受給人員は減少している。厚生労働省の被保護者調査によれば、二〇二〇年十二月は前年同月(新型コロナ感染症が日本で発生する直前だ)と比べて二万人減少している。

生活保護人員数が減少しているのはなぜか。厚生労働省がただただアリバイ的にホームページで「生活保護の申請は国民の権利です。……ためらわずにご相談ください」などとおざなりに掲げているだけだからというだけではない。福祉事務所に訪れた人じしんから〝生活保護は受けたくない〟という声があがるという事態がうみだされているのだ。

歴代政権、特に安倍政権は毎年のように生活保護受給者が受けとる生活保護費を削減してきた(これは菅政権でも続いている)。そのうえ生活保護受給者はあたかも「怠け者」であるかのようなキャンペーンをマスコミをつかって流してきた。国会議員の片山さつきが、〝売れっ子〟になった漫才師の母親が生活保護を受けつづけていることを国会でことさらにあげつらい(二〇一二年六月)、安倍政権成立後には、政府がこのような生活保護受給をまるで重大犯罪でもあるかのように騒ぎたて喧伝したりした。こうした「生活保護叩き」の結果、国民のあいだに〝生活保護を受けるなどあってはならないことだ〟というような意識を蔓延させたのだ。

困窮して福祉事務所を訪れても「生活保護は絶対に嫌だ」「保護を受けたら人間が終わってしまう、保護以外の制度を教えてほしい」と訴える相談者が少なくない。しかし家賃補助には期限があり、そのほかは無利子とはいえ貸付制度がほとんどである。「貸付金を受けとったとしても返済できない」と肩を落とすしかない。それでもなお、生活保護申請を躊躇する人が多いのだ。

「扶養照会」をあくまでも継続する政府・厚労省

労働者・人民が特に生活保護を忌避する大きな理由の一つが、申請すると親や兄弟、子どもに「扶養照会」（註1）がおこなわれることだ。これがあることを知っている生活困窮者は、「親族にこれ以上迷惑をかけられない」「保護申請していることを知られるなら死んだ方がマシだ」等々と保護申請を思いとどまってしまう。

首相・菅は今国会で「扶養照会」の運用の仕方を

変更するように検討するとの答弁をおこなった。首相の答弁を受けて厚生労働省官僚は、全国の福祉事務所に「扶養調査」のやり方を変更するように二回の通知を出した。しかしその内容はまったく欺瞞的代物でしかない。「扶養照会」にかんする生活保護法、省令などの法制度の根幹はまったく変更せず、生活保護制度を運用するうえで「扶養照会」を省略できる例示を若干変更したにすぎないのだ。

一回目の通知では、照会を省略できる親族を、①八十歳以上から七十歳以上に引き下げる、とした。②音信不通の期間を二十年から十年に引き下げる、とした。つまり照会を省略できるのは七十歳以上の高齢あるいは十年以上音信不通の親族のみだ(註2)。

二回目の通知は、保護申請者が「扶養照会」を拒んだ場合には「特に丁寧に聞き取り」をするというかぎりのごまかし的なものである。親族への「扶養照会」を拒む保護申請者にたいして照会を省略するというわけでは決してない。

この二つの通知は、どちらも従来は各福祉事務所でおこなわれていたことを、こと改めて文書にしたにすぎない代物なのだ。そもそも、申請手続きに来る人には援助(仕送り)を実際におこなう親族などいないに等しい。孤立した生活をおくってきた申請者の、照会対象となる親族がどれだけいるのかを探しだすだけでも、申請を受けつける労働者にとっては大変な作業量である。にもかかわらず、政府・厚労省は、福祉事務所の労働者に膨大な数の親族を探しださせ、親族への照会を徹底させる。それは、厚労省が「生活保護は権利」などといくら言おうとも、その実は保護を抑制することを狙っているからだ。

「生活困窮者が申請しやすい改訂を期待したのに何も変わっていないじゃないか!」「これは見かけだけの変更だ!」と生活保護申請にたずさわる労働者からは落胆と憤慨の声があがっている。その一方で、住所不定者からの生活保護申請を受けつけないなど、生活保護の窓口では自治体当局の意向を受けて生活に困窮した人民を切り捨てる対応も一部にうみだされているのが実態だ。

首相・菅は昨二〇年九月に政権を発足させて以来、「自助・共助・公助」を政権の理念としており、内実は「自助」つまり〝自分のことは自分で賄え、できなければ「共助」で、親類縁者のあいだで何とかしろ〟とコロナ下で困窮した人民を見捨てて顧みない。

　生活保護の「扶養義務照会」こそまさに首相・菅がいうところの「自助・共助」なる〝社会保障切り捨て〟の具体的なあらわれであり、これを変える考えなど毛頭ないのだ。厚労省官僚は菅の意を体して「扶養照会」の文言を若干変えてあたかも柔軟に変更したようにみせかけているだけなのだ。まったく許せないではないか！　生活困窮者を見殺しにする菅政権を許さず断固たたかおう。

註1　生活保護法第四条二項「民法に定める扶養義務者の扶養は保護に優先しておこなわれる」の規定をもとに「扶養照会」がおこなわれる。

　福祉事務所は保護申請を受けると、親子兄弟姉妹にたいして扶養（金銭の仕送り等）が可能か否かについて文書照会をおこなう。扶養が可能な場合は仕送り額と同額の保護費を本人へ支給する保護費額から差し引く。親子兄弟の有無は本人からの聴取や戸籍を調査することで確認する。

註2　この他に親族に借金を重ねている、相続をめぐり対立している、夫の暴力から逃れてきた母子などの事例もあげられているが、どれもすでに福祉事務所では扶養の可能性が極めて低く、かえって「扶養照会」が親族関係を悪化させるとして省略されている例がほとんどである。

（二〇二一年五月十七日）

インドのコロナ感染大爆発を招いたモディ政権

柚木　祥

積み上げられた薪の山に火がつけられ幾人もの遺体がいっせいに焼かれていく、正規の火葬場ではなく。病院ではベッドにつくことのできない患者が廊下にあふれ、まわりでは、集まった人々が酸素ボンベを奪いあって殴りあう。――インドにおいては新型コロナウイルス感染者が二〇二一年三月末から急増し、完全な医療崩壊状況に陥った。死者は公式の累計だけでも三七万人を超えた(六月十六日現在)。

この爆発的な感染は、モディ政権の諸政策がもたらした事態以外のなにものでもない。資本家どものの経済活動の再開・維持を優先するとともにヒンドゥー教徒の宗教行事を優遇し、感染対策も公衆衛生の改善もおざなりにしてきたのが、この政権だ。

それだけではない。新型コロナ対応のワクチンを自国内で大量に製造しているインドにおいて、自国人民に接種するワクチンが不足するという事態もがうみだされた。これは、中国・習近平政権の「ワクチン外交」に対抗するために、モディ政権が、米・日・欧の諸国政府の要請のもとにインド製造のワクチンを世界に向けて大々的に輸出したことが招いた

全国各地・各戦線での闘いをビビッドに報道／政府の政策や反動イデオロギーのまやかしを徹底批判／理論＝思想創造の熱い息吹き――学習や研究論文も充実／内外の時事問題を解きほぐす分析・論評記事を満載！

『解放』販売書店一覧

●北海道

MARUZEN＆ジュンク堂書店札幌店	中央区南１西１
東京堂書店	札幌市北区北24西５
TSUTAYA木野店	音更町木野大通西12

●東京都

書泉グランデ	神田神保町
ジュンク堂書店池袋本店	南池袋
紀伊國屋書店新宿本店	新宿駅東口
模索舎	新宿２丁目
芳林堂書店高田馬場店	高田馬場駅前
オリオン書房ルミネ立川店	ルミネ立川８階

●神奈川県

有隣堂本店	横浜伊勢佐木町
有隣堂横浜駅西口店	ジョイナスB1階
有隣堂アトレ川崎店	アトレ川崎４階

●群馬県

煥乎堂本店	前橋市本町

●茨城県

やまな書店	水戸市大工町

●北陸地方

金沢大学生協	金沢市角間
うつのみや金沢香林坊店	香林坊東急スクエア
うつのみや金沢百番街店	金沢駅Rinto

●東海地方

MARUZEN＆ジュンク堂書店新静岡店	新静岡セノバ５階
ジュンク堂書店名古屋店	名駅３丁目
MARUZEN名古屋本店	栄丸善ビル３階
ウニタ書店	名古屋市今池
三洋堂書店いりなか店	名古屋市いりなか
愛知大学生協	豊橋市

●関西地方

丸善京都本店	京都BAL地下１階
ジュンク堂書店大阪本店	堂島アバンザ３階
大阪経済大学生協	東淀川区
関西大学生協	吹田市

●九州地方

福岡金文堂本店	福岡市新天町
金修堂書店本店	福岡市草香江
宗文堂	門司区栄町
ジュンク堂書店鹿児島店	鹿児島市呉服町

●沖縄県

ジュンク堂書店那覇店	那覇市牧志
ブックスじのん	宜野湾市真栄原
朝野書房沖国大店	宜野湾市宜野湾
宮脇書店宜野湾店	宜野湾市上原
宮脇書店美里店	沖縄市美里
宮脇書店名護店	名護市宮里

(2024.10現在)

◎『解放』掲載の主要な論文や記事の一部をホームページで紹介しています。
革マル派公式サイト　http://www.jrcl.org/　E-mail jrcl@jrcl.org
◎解放社の出版物はＫＫ書房でも扱っています。
TEL03-5292-1210　http://www.kk-shobo.co.jp/　E-mail info@kk-shobo.co.jp

ものにほかならない。まさしく、モディ政権の反人民的諸政策が、数十万人のインド人民を死に追いやったのである。

宗教行事優遇、経済最優先、医療体制強化の放棄

インドにおいては、新型コロナウイルスの感染が今年三月末から爆発的に急増し、五月には実に一日で四一万人以上もの感染者が確認されるまでにいたった。(六月に入ってから減少してはいる。)

三月にはすでに感染力の強い「インド型」変異株の出現が報告され警戒が呼びかけられていたにもかかわらず、モディ政権は、昨年の感染拡大が一定程度抑えられたことをもって、「インドは感染を効果的に抑えこんだことによって人類を巨大な災禍から救った」とほざいていた(一月二十八日、ダボス・アジェンダ会議)。この政権は新型株の出現にたいして何ら対策をとらなかった。いやむしろ感染拡大を促進する道を開いたのだ。

まず第一に、ヒンドゥー教至上主義・人民党の支持基盤を固め・拡大するための諸政策が、全土で感染の急速拡大をもたらした。

十二年に一度おこなわれるヒンドゥー教の行事「クンブ・メーラ」が、わざわざ一年前倒しにして大々的に実施された。これを容認したのが人民党のモディ政権だ。昨年にはイスラム教の行事を禁止したのとは対照的に、だ。「沐浴すれば神がコロナから守ってくれる」という宗教的呼びかけに応えて全国から集まったヒンドゥー教徒たち三〇〇万人以上がガンジス川で裸で密集して沐浴した。四月十二日の大行事の五日後には二三万人以上の感染が発表される事態にな

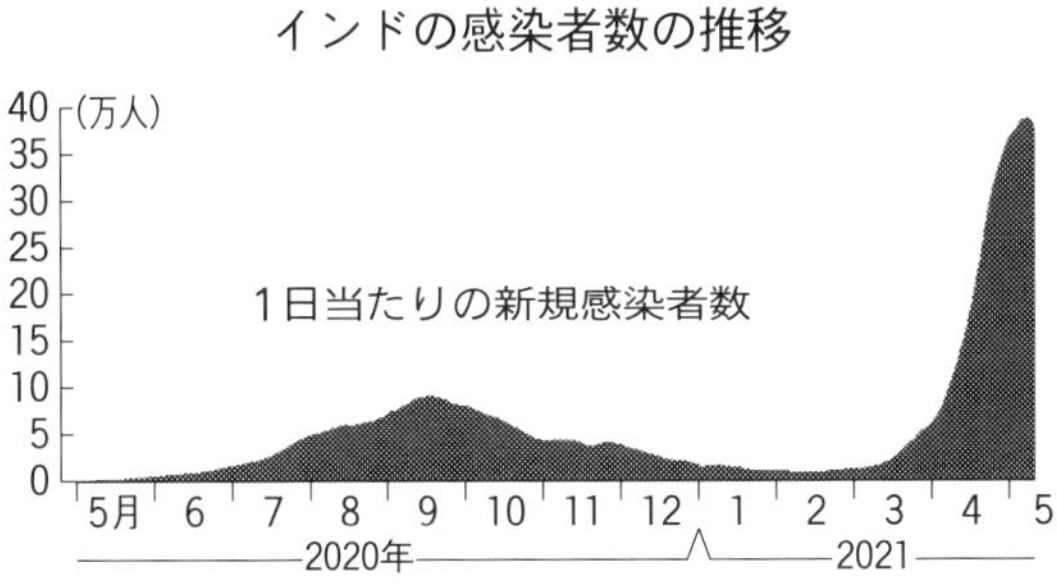

インドの感染者数の推移

った。

さらにモディ政権は、三月から五月にかけて五つの州議会選挙、四つの連邦議会補選を、〝感染を拡大する〟という反対の声をおしきって実施した。選挙運動では人民党党首モディみずからが遊説し、マスクなしの密集した集会を開いた。モディの地元グジャラート州ではモディの名を冠した競技場でのクリケットの試合にマスクなしで何千人もが集まった。これらがクラスターとなったのだ。

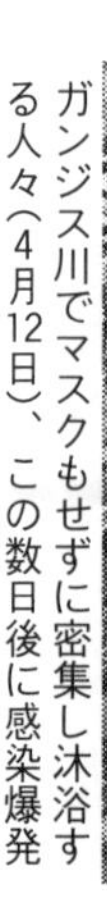

ガンジス川でマスクもせずに密集し沐浴する人々（4月12日）、この数日後に感染爆発

しかも第二に、モディ政権は、感染が拡大しているにもかかわらず、あくまでも経済活動が滞らないことを最優先し、都市ロックダウンなどの措置さえとらなかった。野党・国民会議に属する首長などの一部地方政府当局が独自に規制措置をとったのであったが、これにたいしてモディは「国民をロックダウンから救う」などとほざいて反対したのだ。

昨年、新型コロナウイルス感染の蔓延にたいして、いったんは全土のロックダウン措置をとったモディ政権は、二ヵ月で政策を転換し、早ばやと規制を解除した。「コロナを商機にかえる」と叫んで経済活動を再開させたのである。こうしてモディ政権は資本家・財閥の経済活動を一貫して最優先にしてきた。これがインド株の感染大爆発を招いたのだ。

第三に、モディ政権は医療体制の強化をなおざりにしてきた。この政権は、完全な医療崩壊にたちいたって酸素ボンベ不足が深刻になってもなお、工業用酸素を医療に回すなどの措置すらとらなかった。（そもそも野党からは、すでに昨年十一月に、次の感染の波の到来を予測して医療体制の充実、酸素ボンベの調達が要求されてもいた。しかしモディ政権はそうした要求をはねつけてきたのだ。)

　脆弱な医療体制――人口一三億人にたいして決定的に不足する医師数や病院・ベッド数、この増強などをはかって、次の感染の波に備えることを放棄してきたのがモディ政権だ。それゆえに、モディこそが感染の「スーパー拡散者」(インド医師会副会長)だ、という非難の声がまきおこったのである。

　こうしたモディ政権の数かずの反人民的諸施策のゆえに、インドにおいては世界第二位の感染者がうみだされた。とりわけ貧困層をはじめとする労働者・人民が、劣悪な環境のなかに放置され、感染と死を強制されているのだ。

　だがモディ政権は、IT産業など特定の分野の資本家・富裕層を優遇する政策にますます拍車をかけている。インド経済全体は、昨年、四十一年ぶりのマイナス成長に陥った。そのなかで、財閥・独占体だけが史上空前の利益をあげ、株価も過去最高値を更新しているのだ。貧困層人民を切り捨てているモディ政権に、人民は怒りの声をあげている。

中国に対抗するための自国製ワクチンの輸出

　インドにおいては、新型コロナ感染に対処するワクチンが不足し、これを求めて人民が殺到した。もともとインドは、「ジェネリック大国」といわれるように医薬品製造の規模が大きく、これまで種々のワクチンの製造実績は世界の六割を占めるといわれてきた、にもかかわらずである。それは、自国内で製造されたワクチンの大部分を、モディ政権が海外輸出にふりむけてきたがゆえなのだ。

　「世界の薬局としてワクチンを供給する」――モディ政権の外相ジャイシャンカルは一月十九日にこう豪語したのだった。英アストラゼネカ開発の「コビシールド」と、インドで開発された「コバクシン」をインド企業が製造している。自国の感染は防いだと思いこんだモディ政権は、「ワクチン・マイトリ(ワクチンによる友愛)」を掲げて、このワクチンの世界への供給にのりだした。それは、「戦略的自立」を謳い「自立したインド」をシンボルとした地域大国・経済大国への飛躍という国家戦略にのっとった政策にほかならない。

いまモディ政権は、中国と、国境をめぐって武力衝突をくりかえすほどの対立を深めている。この中国の「ワクチン外交」に対抗するために、南アジアの近隣諸国――ネパール（これまで「親中・反印」の外交姿勢をとってきたオリ政権が政治危機に追いこまれている）、バングラデシュ（中国シノパック社製ワクチン供給が費用負担の折り合いがつかず頓挫した）、軍政下のミャンマー、そしてブータンなど――へワクチンを無償で提供した。さらには、米・日・欧が主導する途上諸国むけのワクチン供給の「国際的枠組み」である「COVAX」には一一億回分の供給を契約するとともに、ブラジルやモロッコなどアフリカ・中南米へは無償で、イギリスやカナダには有償で輸出したのであった。（九十五ヵ国に六六三〇万回分を輸出したと発表した。）

そして、このインドのワクチン製造能力を対中国包囲網の強化に利用しているのがアメリカ・バイデン政権にほかならない。バイデン政権が中国包囲網を構築する「インド太平洋戦略」の一環として組織した米・日・豪・印「クアッド」。「全方位外交」「戦略的自立」を掲げ、中国との経済的協力関係をある程度は維持しようとしているモディを、クアッドの初の首脳会議に参加させるためにバイデンは、ワクチンの供給を主要テーマの一つに設定した。三月十二日、このオンライン首脳会議の共同声明では、中国による「ワクチン外交」に対抗して、二〇二二年末までに一〇億回分のワクチンを世界に供給することが謳われた。そしてインドのワクチン製造能力を向上させるために各国が財政的・技術的に支援するとしたのだ。

だがまさにこの首脳会議の直後、インドでは国内の感染急拡大によって足下のワクチンに窮する事態に陥ってしまったのだ。感染拡大をみずから招いたモディ政権にたいする労働者・人民の怒りが噴きあがり、四月以降の世論調査でこの政権は軒並み支持率を低下させている。このモディ政権の窮地につけこんで中・露はアメリカ主導のクアッドからインドを切り崩すための政治的攻勢にうってでた。中国は、あらかじめモディ政権が拒否するであろうことを織りこんで、ワクチン供給を提案し、同時にロシア政府は、露・印軍事協力強化策とともに自国製ワクチンの提供を申しでたのである。

これに対抗してアメリカ・バイデン政権は、いわゆる「専制主義にたいする民主主義の戦い」にモディ政権を抱きこむために、ドイツやフランスなど欧州諸国権力者と連携しながら、対インド医療・ワクチン支援に血道をあげている。こうしていまやインドをめぐって米―中・露が角逐の火花を散らしているのだ。

〔付記〕あまりの犠牲者の多さのゆえに薪が不足し、薪代が高騰、伝統的なかたちでの火葬ができない。多くの遺体が川に流されている。これがまた感染拡大に拍車をかけている。――こうした現状をうみだしたモディ政権にたいしてインド人民は怒りを燃やしている。このゆえに、モディ政権は人民の抗議を封じるために、批判の拡大の温床とみなしたツイッターやフェイスブックを閉鎖したり、「変異株」の言葉を検索できなくしたりするとともに、政権批判のビラを貼った人民への強権的弾圧を強めている。

人民に犠牲を強要するモディ政権を断じて許すな！

春闘破壊に頬被りする「連合」指導部弾劾

越塚　大

「中小組合の賃上げの流れは継続」なる春闘総括の欺瞞

二〇二一春闘は、わが戦闘的・革命的労働者の奮闘にもかかわらず、「連合」指導部および大手組合労働貴族どもの裏切りによって、またしても各社において超低額の賃上げ回答で妥結・終結させられようとしている。

ところが、この二一春闘の妥結結果について「連合」指導部は、「コロナ禍においても中小組合の賃上げの流れは継続」などと意義づけ宣伝している。「連合」本部は、四月六日に「第三回の回答集計結果」について記者会見を開き、「第三回集計で中小組合の賃上げ率が全体を上回るのは、二〇〇〇年闘争以降では初めて！」などと発表したのだ。記者からその要因を質問された会長・神津里季生は、「手前味噌になるが、私どもが分配構造の転換をこれだけ力を込めて言っているからだ」と、あけすけに自画自賛したのである。

しかし、この日、公表された「連合」の賃上げ交渉の妥結集計結果においては、定期昇給相当分込みの賃上げ額は、「連合」全体で五四六三円（昨年比二九八円減）、賃上げ率は、一・八二％（昨年比〇・一二％減）。これにたいして三〇〇人未満の中小組合は、賃上げ額が四六三九円（昨年比一六九円減）、賃上げ率一・八四％（昨年比〇・〇九％減）という結果であった。全体も中小もいずれも賃上げ額・率ともに二年連続の低下であり、一四春闘以降では最低の水準となっているのだ。それにもかかわらず、「連合」指導部は、全体と中小組合の賃上げ率だけをとりだして中小の方がわずかに上回っていることに飛びつき、企業規模間の「格差是正」の取り組みの大成果のようにおしだしたのである。

ところが、四月十五日付の第四回集計結果および五月十日付の第五回集計結果においては、中小組合の賃上げ率が全体よりも低下したのだ。「格差是正」の根拠が破綻した「連合」指導部は、そのことには口をつぐみ「中小組合の賃上げの流れは継続」などとなお強弁しつづけたのである。

そもそも第三回集計結果にしても、中小組合の賃上げ率が全体を上回ったのは、一〇〇〇人以上の大手組合の賃上げ率が一・八一％（昨年比一・一二％減）と極めて低かったことによるものだ。これは、大手組合がベースアップ要求を放棄したり、超低額回答で早々に妥結したりしたことによるものであり、本来はその責任をこそ総括すべきなのだ。これを棚上げにして「格差是正の成果」などとおしだすというのは厚顔無恥もはなはだしい。しかも、定昇分込みで二％にも満たない超低率の中小組合の「賃上げ回答」を「分配構造の転換」が進んだかのように言いなすのは、低賃金に苦しむ労働者を馬鹿にするものでしかない。

賃金格差拡大と労働者分断を加速させる二一春闘方針

「連合」指導部が「中小組合の賃上げ継続」などと強弁するのは、大手組合労働貴族どもがベースアップ要求を放棄し、そうすることによって、春闘を敗北に導いたことを隠蔽するためなのだ。彼らが二一春闘方針において重点的にとりくむとした「格差是正」のための「分配構造の転換につながりうる賃上げ」という方針は、賃金調査による平均所定内賃金額をもとに目標とすべき賃金水準（三十歳二五万六〇〇〇円など）を定め、それを基準に賃上げ要求とするというものである。これは賃金水準が相対的に高く平均値以上を示す大手組合のベースアップ要求については放棄することを大前提とし正当化するものでしかない。これをもって「連合」指導部は「賃金水準闘争」などと言いなしているのだ。しかし、この「連合」の方針に従って要求方式を転換した中小組合は極めて少なく、大半がその受け入れを拒んだのだ。

しかも「連合」指導部は、中小企業労働者や非正規雇用労働者の賃金水準を一律に引き上げることを求めているわけではなく、「めざすべき賃金水準」を「一人ひとりの働きの価値に見合った賃金」と位置づけ、その実現を求めているにすぎない。それは、人事考課にもとづいて「仕事・役割・貢献度」に応じて賃金を決定する、という経団連が提唱する人事・賃金制度の導入に呼応するものであり、より一層の労務管理の強化を労働組合の側から要求するものでしかなく、賃金格差の拡大とそれによる労働者の分断とをより加速させるものなのだ。

そもそも「連合」指導部は、二一春闘方針において、わずかばかりのベースアップ要求すらも事実上投げ捨て、むしろ「コロナ禍という国難に労使が協調して立ち向かう」などと政府・独占資本家に媚びを売ってきたのだ。実際、トヨタ労組をはじめとする大手組合労働貴族は、賃上げ要求を放棄して春闘を企業の生産性向上・競争力強化に向けた労使協議に解消したのであった。労働貴族どもがこうした春闘破壊に手を染めたことにより、中小組合の多くは、例年以上に厳しい賃上げ闘争を強いられている。逆風に抗して粘り強くたたかう中小組合の労働者の奮闘を上から抑圧しつづけているのが「連合」指導部にほかならない。

われわれは、「連合」指導部による春闘破壊を許さず、各職場から大幅一律賃上げ獲得をめざして二一春闘をたたかいぬかなければならない。そのただなかで、労働貴族どもが牛耳る「連合」の脱構築を目指して傘下労働組合の戦闘的強化のために全力で奮闘するのでなければならない。

郵政労働者の三万五千人削減絶対反対！

――ＪＰ労組本部の「事業ビジョン案」策定を許すな――

郵政労働者委員会

わが郵政労働者委員会は第十四回定期全国大会に際して、すべての郵政労働者に訴える！

いま経営陣は、三万五〇〇〇人もの人員削減をはじめとした一大合理化攻撃を郵政労働者にふりおろそうとしている。二〇二一年五月十四日に発表した新「中期経営計画」（ＪＰビジョン二〇二五）こそは、その宣言にほかならない。

にもかかわらず、この新「中期経営計画」に全面的に協力するとともに、その実現のために「ＪＰ労組が考える事業ビジョン（案）」の策定・豊富化を号令しているのがＪＰ労組本部労働貴族どもだ。これを絶対に許すな！

本部の度重なる裏切りによって、郵政労働者は絶対的な人員不足のもとで徹底的なコストコントロールを強制され疲弊しきっている。しかも六年連続のベアゼロ妥結によって生活苦を強いられている。そして、郵便制度の改悪の容認によって、非正規雇用労働者はいつ雇い止めされるか不安にたたきこまれているのだ。

いま、全国の郵政職場において、JP労組本部にたいする組合員の怒りと不信感がうずまいている。すべてのたたかう郵政労働者諸君! 事業危機のりきりのための、さらなる労働者にたいする犠牲転嫁を許すな。経営陣の大量首切りをうち砕くために、今こそ郵政労働者の未来をかけて、職場生産点から闘いを創造しようではないか。本部の「事業ビジョン案」策定を軸とする第十四回定期全国大会の運動方針案を否決し、JP労組の戦闘的強化のために奮闘しようではないか。わが革マル派郵政労働者委員会はその先頭にたってたたかう決意である!

新「中期経営計画」にもとづく大量人員削減に全面協力する本部

五月十四日、郵政経営陣は「JPビジョン二〇二五」と題した今後五年間の郵政グループの新「中期経営計画」を発表した。そこにおいて彼らは、「DXの推進」をかかげ、三万五〇〇〇人もの人員削減をぶちあげた。四三〇〇億円ものIT投資をして郵政三事業の労働過程にデジタル技術を導入し、大量の人員削減をおこなうというのだ。とりわけ郵便物流では、P—DXと称する郵政版デジタル化の推進をとおして、「局内作業のスリム化」や「差出情報・配達情報を活用・蓄積」、「オペレーション改革」をはかるとうそぶく。このような合理化諸施策をつうじて、二万人もの労働者の削減をねらっているのだ。

また経営陣は、郵便局窓口においても「窓口業務の効率化」と称した諸々の事務手続きなどのデジタル化によって一万人もの労働者の削減を策している。しかも彼らは、「共創プラットフォーム」を目指すと叫びたて、グループ外企業との提携、地方公共団体事務の受託、地域金融機関との連携、店舗の最適配置および窓口営業時間の弾力化を実施するとしている。このことは、いくつもの業務を担えるよう窓口労働者に多能工化を強制すると同時に、営業時間の弾力化の名のもとに複数の勤務先をかけ持ちさせるということを意味するのだ。

金融二社においてもＡＩ－ＯＣＲ（光学式文字読み取り装置）やフィンテックなどの導入をつうじて、ゆうちょ銀行三〇〇〇人、かんぽ生命一五〇〇人を削減する計画なのだ。経営陣は、デジタル化や不動産事業・新規ビジネスの推進に二兆円もの投資をする他方で、労働者を徹底的に犠牲にしようとしているのである。これを絶対に許すな。

だがしかし、ＪＰ労組本部は三万五〇〇〇人の人員削減についていっさい口をつぐんで語らない。彼らは、今大会議案において、新「中期経営計画」実現のために「組合員は理解を深めモチベーションを高めろ」と組合員にむかって説教するとともに、「チェック機能の発揮と現場目線での実効性ある提言が極めて重要」であり労組として「事業ビジョン案」を策定し経営改善を求めていくと叫びたてている。本部は郵政労働者の大量首切りを容認し、組合員の首を差し出しているのだ。断じて許すな！

スローガン

- 経営陣の「中期経営計画」にもとづくＡＩ・デジタル技術を活用した郵政大合理化反対！
- 人事・給与制度の改悪反対！
- 生産性向上に駆り立てる「事業ビジョン案」の策定反対！
- 六年連続ベアゼロ妥結を居直る本部を許すな！
- 「労使運命共同体」思想を深め労使協議路線に陥没する本部を弾劾し、労働組合の戦闘的強化をかちとれ！

「土曜休配」「送達日数の見直し」による首切り・配転・労働強化を許すな

いま、経営陣は、「土曜休配」「送達日数の見直し」施策の十月実施にむけて突進している。経営陣は「土曜休配」によって週六日配達から五日配達に業務を再編し、大量の労働者を削減しようとしている。郵便物量が倍増する月曜日と火曜日についてはごくわずかな増員のみで、その他の曜日は欠員状態のままで配達を強制しようとしている。殺人的な労働強化になるのは火を見るよりもあきらかではないか。

また「送達日数の見直し」にともない、郵便内務では深夜・早朝帯での通常郵便の配達区分を縮小・廃止し昼間帯に移行させるとともに、地域区分局へのいっそうの業務集中化と機械処理の拡大をおしすめている。これによって集配局の郵便内務事務の徹底的な縮小（内務事務のスリム化）を策しているのだ。それゆえに深夜帯に従事してきた非正規雇用労働者は昼間帯に移動することもできず、地域区分局への広域強制配転か自主退職を迫られているのだ。各局当局者は、六月～七月中に一〇万人の非正規雇用労働者を対象にした「意向確認」を実施し、多くの労働者を実質上の雇い止めに追いこもうとしているのだ。

にもかかわらず本部は、「土曜休配」によって休配日明けの業務量が多くなることにたいして「曜日別業務量の平準化」や「効率的な配達方法」を対置するなど、とにかく施策のスムーズな実施を求めているにすぎない。しかも、「再配置可能な要員数を見出せ」とか「荷物分野へのリソースシフト」とか、あたかも人員が余ってでもいるかのようにおしだしている。

本部は、「土曜休配」「送達日数の見直し」にともなう大量首切りと労働強度の飛躍的増進にたいしていっさい反対しないのだ。とりわけ、数多の非正規雇用労働者が分断され雇い止めされようとしているときに、これを阻止するのでなく、合理化がスムーズに貫徹するようにたちまわっているのが本部労働貴族なのだ。

「事業ビジョン案」策定の反労働者性

今定期大会において本部が策定しようとしている「事業ビジョン案」なるものも極めて反労働者的で

ある。

　この「事業ビジョン案」において本部は、集配労働者を「荷物分野にリソースシフト」させるために「班の見直しによるフレキシブルな要員配置」や「〔配達〕区の概念を見直し、柔軟に区のつなぎめを変更できないか」などと提言している。このような提言は、業務量の波動性に応じてもっと隙間なく働かせ人員削減ができると経営陣に進言するに等しいではないか。そして郵便内務の場合も、「効率的な作業の見直し」を求め、「特殊係とゆうゆう窓口を一体的に行え」などと提言している。郵便内務の縮小、すなわち人員削減を組合の側から要請しているのが本部労働貴族どもだ。

　窓口部門では、経営陣が「共創プラットフォーム」と称してグループ外企業との提携や地方自治体の業務受託などをうちだしていることに呼応して、他業種とのコラボレーションを提言している。しかも本部は、窓口開設時間の半日営業や隔日営業、そして一人の労働者に複数の郵便局窓口を担当させることを、さらに農業、コンビニ、移動スーパー、スマホ販売店などの新たな事業の開拓まで提言している。窓口労働者を極限的な労働強化にたたきこむ以外のなにものでもないではないか。

　そもそも、このような効率化のための諸施策や収益拡大のための新規事業の開拓などを労働組合が提案することじたい許しがたいのだ。労働組合が業務の効率化や要員の見直し、新たな事業展開・請負などを提案するならば、労働者に従業員としての意識をうえつけることになる。こうして労働組合がますます会社に従属することになり、労働組合運動は会社の持続的発展のためにのみ役割を果たし機能することになる。そして組合員は生産性向上のために徹底的に搾取され、「会社の発展のために働く」といった虚偽の意識に汚染され、賃金奴隷の立場に甘んじることを余儀なくされるのだ。

すべての郵政労働者の皆さん！ 今大会における「事業ビジョン案」の策定を絶対に阻止しよう。

賃下げ、人事・給与制度改悪に棹さす本部弾劾！

本部の反労働者性はそれにとどまらない。本部は、二一春闘でゼロ回答＝賃下げを受けいれ郵政労働者を生活苦にたたきこんできたにもかかわらず、年収水準を維持したなどと居直り、春闘総括を放棄し妥結承認を求めることもしない。しかも彼らは、来春闘にむけ一時金の会社別支給（カット受け入れだ）の容認や、賃上げの放棄を早ばやとほのめかしているのだ。そして、本部みずからが提案した一般職と地域基幹職二級以下との基本給の統合については、「現給保障」は厳しいなどと経営陣に一蹴され、地域基幹職二級以下の賃金切り下げの方向での人事給与体系の見直しを受けいれる腹づもりなのだ。労働諸条件改善のための闘いをいっさい放棄するだけでなく、経営陣のお先棒を担ぐ本部を弾劾せよ！

すべての郵政労働者のみなさん。本部が「経営環境の次元の異なる極めて厳しい状況」などと吹聴し、経営陣の大合理化に全面協力するのは、彼らが「労使運命共同体」思想をますます深め、労使協議路線に陥没しているからにほかならない。われわれは、本部による「事業ビジョン案」策定の反労働者性を満天下に暴きだし、正規・非正規雇用労働者が共に団結し、労働者の怒りの声で第十四回定期全国大会をＪＰ労組の戦闘的再生の場につくりかえようではないか！

菅日本型ネオ・ファシズム政権打倒に向けて進撃しよう

コロナ・パンデミックのもとで菅政権は、困窮する労働者・人民にまともな補償もやらず、緊急事態宣言や「まんえん防止等重点措置」を延長している。独占資本への支援やおのれの政権延命のために東京五輪開催にしがみつき、困窮する労働者・人民を路頭に放り出し見殺しにしているではないか。しかもこの政権の後押しを受けた独占資本家どもは、コロナ危機をチャンスと捉え「デジタル化推進」や「脱炭素化」を旗印に産業構造の転換と称して大量の首切りや賃金切り下げにうってでている。

それだけではない。菅政権は帝国主義国アメリカの「属国」として、日米同盟の対中攻守同盟としての飛躍的強化を全世界に宣言し（四月十六日、日米首脳会談）、「台湾有事」に際して自衛隊＝日本国軍を米軍指揮下で最前線に参戦させることを誓約した。敵基地先制攻撃体制を構築するために高額な兵器購入も受けいれた。日本を戦争をやれる国へと飛躍させるために憲法第九条改悪への突破口を開く、そのために立憲民主党をも巻きこんで国民投票法改定案を憲法審査会で採決し、衆議院本会議で強行可決した。

このように労働者・人民を徹底的に犠牲にする菅政権にたいして、何ひとつ反対の闘いを組織していないのがＪＰ労組本部だ。彼らは、郵政事業の発展のためにのみ組合員を今秋の衆議院選や来夏の参議院選にむけた一票として引き回しているだけである。郵政のたたかう労働者は、コロナ下での労働者・人民の見殺しを許すな！　菅政権による戦争のできる軍事強国化反対！　菅政権打倒にむけて、本部による集票運動への解消を許さず断固たたかおうではないか。

（二〇二一年六月三日）

郵政「土曜休配」「送達日数見直し」による首切り・配転を許すな

高山　徹

郵政経営陣は今、「改正郵便法」の成立（二〇二〇年十一月）をうけて「配達頻度の見直し」（以下「土曜休配」と略す）・「送達日数の見直し」の本二一年十月実施にむけ突き進んでいる（註）。彼らは、人員削減ありきの集配班の「曜日別要員配置計画」と配達区の「区割りパターン」の作成を急ピッチでおしすすめている。また、非正規雇用労働者を実質上の雇い止めや強制配転に追いこむための「意向確認」を、六月（外務）あるいは七月（内務）から開始するとしている。

郵政経営陣は五月十四日、今後五年間の郵政グループの新「中期経営計画」をうちだした。ここにおいて彼らは、郵政労働者三万五〇〇〇人もの人員削減計画を明らかにした。とりわけ郵便物流部門においては、「土曜休配」「送達日数の見直し」ならびに郵便物流部門のデジタル化をつうじて、二万人もの労働者を削減するというのだ。

郵政労働者に大量の人員削減と極限的な労働強化を強制する画歴史的な一大合理化攻撃にたいして、にもかかわらず、「事業を持続・発展させていくため」などとほざきながら全面的に協力しているのがＪＰ労組本部労働貴族どもにほかならない。

すべての革命的・戦闘的労働者諸君！「土曜休配」「送達日数の見直し」にともなう労働者への一切の犠牲強要を阻止せよ！　両施策に全面協力するだけでなく、「事業改革が必須」などと称して「ＪＰ労組が考える事業ビジョン（案）」作成に埋没するＪＰ労組本部を許すな！　今こそ首切り・強制配転・労働強化に反撃する闘いを、職場生産点から全力をあげて創造していこうではないか。ともにたたかわん！

1　郵政労働者の大量首切りに狂奔する経営陣

今回会社当局が強行実施する「土曜休配」は、通常郵便の配達について土曜日の配達を廃止し、週六日配達から五日配達に改変するものであり、「送達日数の見直し」は、これまで送達日数が三日以内であったものを四日以内に延長するものである。この両施策の実施によってこれまでより一日～三日程度配達が遅くなる。普通郵便は今週の木曜日・金曜日に差し出されたものは翌週の月曜日、今週の土曜日・日曜日に差し出されたものは翌週の火曜日に配達となる。月・火・水曜日に差し出されたものはそれぞれ二日後の水・木・金曜日に配達される（次頁の図1参照）。このように明らかにサービスダウン施策なのだ。

(1)「土曜休配」にともなう人員削減と労働強化

経営陣は、「土曜休配」によってこれまで土曜日に配置していた五万五〇〇〇人のうち四万七〇〇〇人を「他の曜日や荷物分野に振り向けることができる」とか、「働き方改革の一環だ」とかとうそぶいてきた。だがこれ自体、大量の人員削減を隠蔽し「土曜休配」をスムーズに貫徹するための詭弁にすぎない。今各局で作成されつつある「曜日別要員配置計画」（次頁の図2参照）においてそのことは端的に示されている。

土曜日の配達をなくし、かつ引き受けから配達までの送達日数に余裕をうみだしたことによって、月曜日と火曜日はそれぞれ二日分の郵便物を、水・木・金曜日は、それぞれ二日前に引き受けた一日分の郵便物を集配労働者は配達することになる。にもかかわらず「曜日別要員配置計画」では、月曜日と火曜日は配置人員を班内でのわずか一名の増員、あるいは増配置なしの体制となっている。さらに、水・木・金曜日は郵便物数がこれまでどおりであるにもかかわらず、従来より配置人員が減らされている場合さえある。

この「曜日別要員配置計画」の作成にあたって局当局者は、「支社から示された必要人員数を超えてはならない」だの、「各班で約一名の減員が実施されることになる」だのと、班長にたいして露骨な恫喝をしている。要するに経営陣は、従来土曜日に配置していた人員を振り向けるどころか、むしろ人員を削減さえしているのだ。

現状でも各集配班一～二名の欠員が恒常化しており、全国一万人以上の絶対的な人員不足がうみだされている。集配労働者はその穴埋めのために疲労困憊している。それゆえ郵政職場では心身の不調に陥ったり、交通事故にまきこまれたり退職に追いこまれたりする労働者が後を絶たないのだ。にもかかわらず経営陣は、それを無視して、〃一班当たり一人は減らせ〃とがなりたてさらなる削減を強要しているのだ。ここにこそ今回の「土曜休配」の何たるかが明確に示されているではないか！

図1　配達日の変更

翌日配達廃止地域（17時まで引き受け）

引受日	配達曜日 現在	配達曜日 見直し後
月	火	水
火	水	木
水	木	金
木	金	月
金	土	月
土	月	火
日	月	火

しかも、週六日配達が五日配達になることから、月・火曜日は郵便物数が多くなり、曜日によって配達物量に差がでる。経営陣は、「曜日別要員配置計画」

図2　支社が示した曜日別配置人員の例（班）

【現在】

	日	月	火	水	木	金	土	計
通集配		8	7	8	8	8	8	47
混合	2	1	1	1	1	1	1	8
出勤計	2	9	8	9	9	9	9	55
週休	10	2						12
非番			1	2	3	3	3	12
年休		1	3	1				5
総計	12	12	12	12	12	12	12	84

【制度改定後】

	日	月	火	水	木	金	土	計
通集配		9	8	8	8	8		41
混合	3	1	1	1	1	1	2	10
出勤計	3	10	9	9	9	9	2	51
週休	8	1	2					11
非番						2	9	11
年休				2	2			4
総計	11	11	11	11	11	11	11	77

一つの班で１名削減せよと示した例

において人員を削減したうえで、少ない人員配置で完全配達するために、「曜日別区割りパターン」を作成しろと喚いている。この「曜日別区割りパターン」とは、月曜日（ないし火曜日）は郵便物が増えるので配達区域を狭くして、それ以外の曜日は配達区域を現状か広くせよ、ということなのである。

だが、たとえ配達区が狭くなったとしても月・火曜日には大量の郵便物の配達が、少ない日には広域配達が課せられ、労働者は長時間の配達労働を強いられることになるのだ。郵便物数の増減に合わせて、労働者を隙間なく徹底的にこき使う労働強化いがいのなにものでもない。しかも、現在職場において執拗になされている超勤削減の強要や、今後導入が拡大されるであろう「変形勤務」（月と火は十時間勤務で、水、木は六時間勤務など）によって、集配労働者は時間外手当の削減による賃金切り下げ、労働時間の内包的ならびに外延的拡大を強制されるのは明らかではないか。

ところで、「送達日数の見直し」によって郵便部から2パス処理および手区分された郵便物が早朝ではなく昼間帯以降に翌日の配達分として集配交付される。この交付された郵便物を、配達作業終了後に翌日の配達分の道順組み立て、いわゆる「前日組み立て」をおこない、配達当日の「道順組み立て」の作業をできるかぎり短くして、集配労働者の配達出発時間を早め配達時間を延長し、超勤を減らすとともにこれまで午前中雇用していた「組み立てゆうメイト」を削減しようというのだ。

「土曜休配」「送達日数の見直し」にともなう、外務部門の労働者にたいする首切り・雇い止め、労働強度の非合理的増進、シフト削減や超勤手当削減にともなう大幅な賃金カットを断固として打ち砕け！

(2) 深夜帯から昼間帯への業務再編にともなう大量の雇い止め

地域区分局・集配局の郵便内務部門においては、通常郵便物の「送達日数の見直し」（繰り下げ）により、これまでサービス向上策として一九八四年以来拡大してきた翌日配達の廃止を経営陣は強行する。経営陣は、この翌日配達の廃止によって時間的猶予をつくりだすことで、深夜帯業務を原則廃止し、昼間帯に移行させる業務再編（二二年一月以降二つのグループに分けて）を実施する。これまで労働者の反対を押しきって殺人的な深夜勤をゴリ押ししてきた彼らは、手のひらを返したように「働き方改革」による夜間労働の軽減策だなどと労働者を欺瞞し、深夜帯に従事している労働者を職場から放りだそうとしているのである。

経営陣は、現在の八七〇〇人の深夜帯の要員のうち五六〇〇人を昼間帯に移行することができるなどとほざいている。だが深夜帯に従事している非正規雇用労働者がそのまま昼間帯に移行できるわけではない。昼間帯でおこなう「差し立て区分・発送」業務の結束（締め切り時間）を午後五時に一本化することで処理時間に余裕をうみだし、処理頻度を減らしたり、また「到着・配達区分」の場合も1パス区分を到着便ごとに処理していたものから、昼間帯で一気に処理することによって、人員配置そのものを徹底的に削減しようとしているからである。

十月から実施する「土曜休配」によって、金曜日の深夜帯から土曜日の早朝帯にかけての業務が先行的に廃止される。郵便内務労働者の場合、とりわけ深夜・早朝帯に従事している非正規雇用社員（七時間勤務ないし十時間勤務）は、勤務日が（一ヵ月四〜五日）削減される。月例賃金の大幅削減が強行される。

そして、年賀開けの一月以降は順次、深夜帯業務が一部の地域区分局を除いて廃止され昼間帯に移行する。まさに経営陣が言うような労働者のための深夜労働の軽減策などではなく、大量の人員削減と、割増賃金の剥奪や航空輸送などの輸送コスト負担を徹底的にそぎ落とすことを狙った、業務再編・輸送再編なのだ。

それだけではない。経営陣は、一挙に区分機の活用や区分機の供給率・区分率を飛躍的に上げるだけでなく、地域区分局での集中処理化を拡大する合理化攻撃を同時に振りおろしているのである。経営陣の指示で各支社が示した「集配局内務オペレーション」と称する内務の「時間帯別処理計画」がそのことを端的に示している（八月にも正式決定しようとしている）。

典型的には、東京管内にある地域区分局（新東京、東京北部、東京多摩）での「到着・配達区分」の集中処理化の拡大がそれである。東京多摩は深夜帯から昼間帯に完全に移行するが、新東京と東京北部の場合には、深夜帯業務を続行する。なおかつ昼間帯の書状区分機での処理時間を大幅に拡大しているのだ（特に東京北部では二十四時間フル稼働計画）。このことは集中化される集配局郵便内務の業務（人手のかかる手区分）を徹底的に縮小（＝人員削減）するものにほかならない。縮小される集配局内務労働者は、わずかに残る通常郵便物の手区分や、書留や速達、ゆうパック部門の業務しかなくなり、しかも最小限の人員配置での処理が強要され、多能工化(発着・ゆうパック・特殊取り扱い・窓口が何でもできるように)といっそうの労働強化が強いられることは明らかだ。区分機が配備されている集配局(未集中)の場合も、昼間帯での区分機処理が残るだけで、業務が縮小される。

また昼間帯の業務が拡大される地域区分局の内務労働者は、少ない要員配置のなかで区分機の有効活用が叫ばれ、長時間にわたって区分機にこき使われるような労働強化がいっそう強いられるのだ。

すでに述べたように、送達日数の見直しにともなう郵便内務の業務改編によって、内務労働者、とりわけ深夜帯に従事している一万数千の非正規雇用労働者は、雇い止めやまたは他の部署(特殊・小包)への配置換え(極少数だ)や地域区分局への広域配転の対象とされる。しかも内務部門の効率化をはかることを通して、さらなる人員削減を狙っているのが経営陣なのだ。ふざけるな!

じっさい会社当局者は、人員削減を強行するために「深夜帯業務がなくなる」「異動もやる」などと陰に陽に圧力を加え、非正規雇用労働者を極度の不安に陥れている。深夜帯に従事している労働者は、雇用の受け皿が少なく、退職せざるをえないではないか。正規・非正規を問わず郵便内務労働者は去るも地獄・残るも地獄の状態にたたきこまれているのだ。これを絶対に許すな!

少子高齢化やインターネットの普及により通常郵便物の減少傾向(年三%)に歯止めがかからず、ましてやコロナ感染拡大下でさらに拍車がかかっている(六%以上)。このなかで経営陣は、通常郵便のサービス水準を低下させ、コスト負担と人員を大幅に削減することで収益改善をはかろうとしているのだ(経営陣は六〇〇億円の収益改善を見込んでいる)。彼らは、一八年に政府・総務省に申請していた両施策が昨年十一月に承認されたことをうけて、郵便・物流部門の業務改編・労働組織の再編を、郵便労働者への重犠牲を強いておこなおうとしているのだ。

2　職場深部から首切り・強制配転・労働強化・賃下げ反対の闘いを！

(1)「事業構造改革への挑戦」を叫び全面協力するＪＰ労組本部

本部は、両施策は「減員が目的」ではなく「欠員補充」となる施策であり、「組合のチェック機能を強化」することで「よりよき施策にする」とほざく。そして労使協議において「雇い止めは行わないことを確認している」、などと組合員に吹聴している。

この本部の両施策への対応方針の反労働者性の第一は、両施策を積極的に尻押しし、郵政労働者を首切り・強制配転・労働強化の攻撃に供していることである。経営陣が廃止を画策している深夜帯および「スーパー早番」（朝四時から勤務）の業務に従事している非正規雇用労働者だけでも一万人だ。彼らは配転先すら見つからず、あるいは配転先があったとしても、昼夜逆転の生活環境になれなかったり、手当・賃金が引き下げられ生活ができなくなったり等々の理由で、〝自主退職〟せざるをえないように仕向けられている。これらの攻撃にたいして、本部は何の反対もしていないのだ。

すでに日本郵便の内務・外務の非正規雇用労働者全員(約一〇万人)にたいして「アンケート」調査がすすめられてきた。この「アンケート」は、非正規雇用労働者の配置転換をスムーズに実現するためのものであり、また〝自主退職〟に追いこむためのものでもある。しかも、中央交渉で「意向確認は六～七月から」としていたにもかかわらず、現場管理者は先行的に「君の行くところはここしかない」などと非正規雇用労働者に退職を迫るような恫喝をくりかえしている。非正規雇用労働者は「コロナで再就職はできないし生活できなくなる」という不安のどん底に陥れられているのだ。

本部のいう「雇い止めは行わないと確認している」ことを組合員に周知徹底しろ」などという言いぐさは、姑息な手段を弄して非正規雇用労働者を実質的な雇い止めに追いこんでいる経営陣・管理者を免罪し、組合員の反発をおさえこむためのものにほかならない。まさに郵政経営陣に労働者の首を差し出す本部を絶対に許すな！

第二の反労働者性は、「送達日数見直し」施策のなかの首都圏における地域区分局の区分機二十四時間フル稼働による郵便物の集中処理計画などの核心的な部分を、組合員の反発をかわすためにひた隠しにしてきたことだ。それだけではない。本部は両施策の実施によって大幅な人員削減・強制配転が強行されることを百も承知で、組合員にたいしては「減員が目的でない」「欠員補充のため」などと欺瞞的言辞を弄し組合員を騙くらかしてきた。なによりも彼らは、経営陣が新「中期経営計画」においてぶちあげた日本郵便における三万人の人員削減に何の反対もしていないのだ！　組合員を欺瞞するのもいい加減にしろ！　わが革命的・戦闘的労働者は、このような本部労働貴族どもを絶対に許してはならない。

第三に、ＡＩ（人工知能）・デジタル合理化を積極的に尻押ししていることである。経営陣は、猛烈な勢いでＡＩ・デジタル技術諸形態を生産過程に導入している。すでに今年四月から全国全集配区にテレマティクスのためのスマートフォンを配備した。経営陣がこれらの諸施策をうちだしたのは集配合理化を一気におしすすめるためにほかならない。

ＡＩ・デジタル技術の導入による効率化・合理化は、郵政労働者にとっては首切り・配転・労働強化・賃金切り下げしか結果しないのだ。なぜなら、経営陣はあくなき利潤追求のためにのみ、ＡＩ・デジタル機器の導入や業務の改編に見合った労働組織の再編をおしすすめているのだからだ。

にもかかわらず、この経営陣に呼応して、これらの諸施策の迅速な推進を呼びかけているのが本部労働貴族どもにほかならない。ふざけるな！

本部は「事業ビジョン」なるものを第十三回全国大会で承認させ、かつ第十四回全国大会の付属討議資料として提出している。本部の「事業ビジョン」なるものは、経営陣の提起する新「中期経営計画」に呼応し、新規事業の開拓や生産性向上のための諸施策を提言するということだ。本部の効率化・合理化・人員削減などの提言が施策として受け入れられるならば、組合員はこの施策の実現に必死になって働かされることになるのだ。こうして組合員が競争させられ、組合員どうしに亀裂がうまれ、労働組合の団結が破壊されるのだ。

(2) 政策提言・生産性向上運動をのりこえ闘おう

われわれ郵政のたたかう労働者は、下から論議を巻き起こし、本部の反労働者性を満天下に暴きだし、経営陣に全面協力する本部の運動を弾劾し断固としてたたかいぬくのでなければならない。その場合に首切り、広域強制配転の攻撃の一番の対象とされる非正規雇用労働者をはじめ正規・非正規を問わずともにたたかうことを訴え、その最先頭でたたかおう。

そして、本部が両施策に全面協力するのは、ＪＰ労組本部が階級融和主義にもとづく労使協議路線に陥没しているからであり、このことを暴きだしてたたかうのでなければならない。

「土曜休配」「送達日数の見直し」による首切り・広域配転・労働強化反対！　非正規雇用労働者の雇い止め絶対反対！「集配体制見直し」反対！　デジタル機器の導入にともなう一大合理化反対！　の闘いを断固創造しようではないか！　この闘いのただなかで組合組織を戦闘的に強化しよう！　さらに郵政職場の革命的ケルンをより強固に創造するために職場深部から闘いを創造しよう！　全国の仲間たち、ともにたたかわん。

註　「改正郵便法」とは①「土曜休配」②「送達日数の見直し」③郵便区内特別郵便の見直しである。郵政経営陣がこの法の成立にあわせて独自に決定したものは④速達料金の引き下げ（二九〇円→二六〇円）⑤配達日指定料金区分の変更（土曜休配により三十二円→二一〇円に）⑥日刊紙配達は当日配達を継続、土曜日は利用者に一定の負担⑦選挙郵便は選挙期間中の最後の土曜日は配達実施、などである。

（二〇二一年五月十七日）

電機春闘の低額妥結弾劾！

狩　野　　勝

電機職場でたたかう革命的・戦闘的労働者は今、大手企業の職場・生産点において、経営者のわずか「一〇〇〇円」という超低額回答の受け入れを組合員に押しつけた労働貴族を弾劾し組合運動を戦闘的につくりかえる決意を組合員にうながす思想闘争を開始している。それとともに、中小企業においてこの電機大手の低額妥結を弾劾しつつ大幅一律賃上げを獲得するためにたたかいつづけている。われわれは、電機大手の超低額妥結を徹底的に弾劾し、「企業の持続的発展のための労使協議」にいよいよ純化しつつある電機春闘を突き破るために奮闘しているのだ。

「春闘の破壊」に狂奔した電機連合指導部

二〇二一年三月十七日に電機大手企業の経営者どもは、「開発設計職基幹労働者（レベル4）」の「賃金水準改善額（引上げ額）二〇〇〇円以上」という電機連合十三中闘の「統一要求」にたいする回答を示した。日立が一二〇〇円、村田製作所が一一〇〇円、シャープ、三菱電機、富士通、富士電機、東芝が一〇〇〇円、パナソニックが五〇〇円と確定年金掛金五〇〇円分で計一〇〇〇円、NECが五〇〇円と福利厚生ポイント五〇〇円分で計一〇〇〇円などという、それぞれ異なる超低額の回答であった。各社バラバラなこの回答を、電機連合と各労組の指導部は、昨年にひきつづき「妥結の柔軟性」の名において受け入れ集約=妥結したのだ。これが今春闘の特徴の第一である。

電機連合委員長・神保政史は、この超低額回答にたいして「先行き不透明感が強まるなか、難局をのりこえるための期待値がしめされた」などと経営者に〝謝意〟を表明した。だが、五〇〇円〜一二〇〇円の引上げ額は、「コロナ禍」で残業代や諸手当や福利厚生費が削減されてきた労働者にとっては事実上の賃下げ回答だ。しかもこの回答じたいが特定の〝開発・設計職基幹労働者（三十歳相当）〟にたいするものにすぎず、ほとんどの企業では大多数の労働者の賃上げ額はそれ以下の〝わずか一〇〇円〜二〇〇円〟なのだ。まったく許せないではないか！

コロナ・パンデミック下でも電機大手各社は、労働者をこき使い強搾取することによって、デジタル関連事業を中心にしてボロ儲けしている（二一年三月期決算は大幅な増益）。それにもかかわらず労働貴族どもは、「コロナ不況」とか「グリーンやデジタルをめぐる国際競争の激化」とかを口実とした電機独占資本家どもの超低額回答を唯々諾々と受け入れたのだ。

なにが「各企業労使は電機産業の社会的役割を果たせた」（神保）、だ。わずか一〇〇〇円という〝超低額妥結〟は、後に続く中小企業の賃上げを抑制する〝社会的相場〟でしかないではないか。UAゼンセンの労働貴族が「電機が相場をつくった」などと持ちあげているのは、そうした意味なのだ。

たとえ電機連合労働貴族が「産別労使交渉をおこなっているのは電機労使のみである」と強調し「産別統一闘争の意義」を語ろうとも、「統一要求・統一交渉・統一妥結」を標榜した「産別統一闘争」なるものを形骸化させ事実上放棄した。彼ら労働貴族は、今春闘において、福利厚生ポイントなどの〝賃金とは呼べないもの〟を、要求段階から「人への投資の柔軟性」の名のもとに「賃金と類似性が高い項目」は「賃金水準の改善とみなす」として認め、こうした項目を含む回答を「項目の柔軟性」の名のもとに認めたのだ。大手企業労働者に実質上の賃下げを強要し、パンデミック下で解雇され過酷な犠牲を強いられている中小・下請け企業の労働者や非正規雇用労働者など低賃金と生活苦にあえぐ労働者を見殺しにすることをしか意味しない超低額妥結。これをもって「社会的役割を果たした」などと居直る電機労働貴族を怒りをもって弾劾せよ！

「企業発展のための労使協議」への収斂

大企業における今春闘の労使交渉は、もっぱら経営陣が掲げた「デジタル革新（DX）」や「脱炭素化」という産業構造・事業構造の抜本的再編とそのための労務政策の転換をめぐる協議に収斂された。これが今春闘の第二の特徴である。

電機大手企業の労使交渉では、弥次喜多式の〝質疑応答〟というかたちで、〈パンデミック恐慌〉から脱却して「ポスト・コロナ」に生き残るための経営戦略についての〝認識の一致〟を確認することがなされた。電機諸独占体は、菅政権の「脱炭素化とデジタル化を原動力とした成長戦略」にもとづく新技術開発支援策を利用して新たな事業分野での競争を国内外で熾烈にくりひろげている。しかも米中対立が激化するなかで各社は、アメリカ政府が「経済安保」の名のもとに中国製の通信機器などを欧米市場から排除し同盟国企業によるサプライチェーン構築をめざしていることをチャンスとして、ＡＩ（人工知能）やＥＶ（電気自動車）や５Ｇ（第５世代高速大容量通信規格）・６Ｇなどの最先端技術の開発に狂奔している。

そのために電機経営者どもは、中央の労使交渉や各企業の労使交渉の場において「変化に対応する能力をもった人材の育成の必要性」とか「働きがい・チャレンジ・挑戦心が重要」とかと叫びたてた。これにたいして、〝企業の施策に労働者がみずから積極的に参画する情熱を発揮できる環境を経営者は創ってください〟と呼応したのが各単組の労働貴族どもなのだ。労働者の日々の疎外労働を「自己労働」「自己実現の活動」でもあるかのように言いくるめる虚偽のイデオロギーを垂れ流し、労働者の尻を叩いている労働貴族を許すな！

日立人事担当役員・中畑は今春闘時に、「今回は多くの時間を『ジョブ型』雇用制度の交渉に割いた」「十年かけて協議を積み重ねて、すでに『職務記述書』の作成は完了しており、二一年四月から国内の全社員約一六万人すべてに『ジョブ型雇用』を導入していくための説明会を順次実施する」と豪語したのであった。この日立や富士通・ＮＥＣなど、ＩＣＴ（情報通信技術）関連を中核事業とする企業の労使交渉では、「ジョブ型雇用」導入をめぐる論議を中心課題としたのだ。

すでにこれらの企業経営者どもは、急速な「デジタル化」をめぐる競争に生き残りを賭けて、「即戦力」となる「デジタル高度人材」（「データサイエンティスト」など）を確保・育成するために中途採用のみならず新卒採用でも一般従業員とは別枠で相対的に高い賃金で雇用しはじめた。それだけではなく、今や一般社員も対象として「ジョブ型」の雇用・人事・賃金諸制度を導入することを決定し、データサイエンティストなどを社内公募しつつ、労働者に「自己研鑽支援」という名において「スキルアップ」を強要しているのだ。こうした労務政策は、経営者の求める技術・知識を体得できない労働者には賃下げ・配転・出向を強制して退職に追いこみ職場から放逐することをしか意味しない。

それにもかかわらず労働貴族は、「事業再編などで該当する職務がなくなった場合の雇用不安」を指摘するだけで、「グループ会社内での雇用の確保は保障する」（配転・出向だ！）とか「スキルがない場合でも直ちに解雇することにはならない」（法的建て前）とかの経営者の欺瞞的言辞をもって、「ジョブ型」制度の導入を積極的に受け入れたのだ。

すでに、経営者が「定型的業務」とみなしている事務・販売・製造などで働く労働者は、（「ジョブ型雇用」とは呼ばれていないが）特定職務だけを担うことを労働契約に明記した職務給型の賃金を支払う・パートや有期契約社員や派遣社員の形態にどんどん切り替えられてきている。それにふまえて経営者どもは今、「ポスト・コロナのデジタル社会」にむけて、企業の中核を担う「高度人材」だけを選抜し高い報酬を与えて確保したうえで、それ以外の圧倒的多数の労働者たちを、低賃金で解雇のしやすい「職務（地域）限定正社員」と社外から必要なときに必要な人数だけ確保する非正規雇用労働者や「ギグワーカー」（個人請負労働者）とに切り替えようとしているのだ。彼らは、「職務と人財の見える化」などと称して「職務記述書」にもとづき、正規雇用社員でも「職務限定」社員（ジョブ型雇用）に再編していこうとしているのだ。

しかも経営者どもは、政府の要請に乗じて、コロナ感染拡大防止策として「テレワーク」を拡大したことを活用して「ジョブ型雇用」制度の導入をすすめようとしている。そのために、「ジョブ型雇用」は「テレワーク」との「親和性が高い」とおしだしながら、「テレワーク」を容易にするために職務（ジョブ）を切り分け・細分化することをすすめている。しかも、今春闘の労使協議では「テレワーク」拡充のために「在宅勤務手当」をめぐってのみならず、在宅勤務回数の拡大（上限撤廃など）や「在宅勤務者の時間管理の困難性」をあげつらって「裁量労働制」や「フレックスタイム制」の適用をめぐって協議した。労働貴族どもは、「テレワーク」の拡大を「アフターコロナ社会における『働き方改革』の取り組み」として位置づけ直し、これまで「テレワーク」の対象外としてきた短時間勤務や有期雇用や派遣の労働者も対象者として「テレワーク」勤務を積極的におしすすめることを提唱した。それは独占資本家どもがいまおしすすめている「ジョブ型雇用」の導入・拡大を尻押しする犯罪的なものだ。

「政策制度課題」共有のための産別労使交渉

今春闘の特徴の第三は、電機大手企業経営者が

「企業ごとに業態・業績が異なってきた」ことを理由として「統一要求」や「統一妥結」を「時代遅れ」と断じてきたものの「産別統一労使交渉」そのものは拒否しなかったこと、これに呼応して労働貴族が「産別統一労使交渉の重要性」を強調していることである。労働貴族は、「デジタル化と脱炭素化」に対応した各社の事業構造転換を図るために、個別企業では解決できない「電機産業発展」のための「政策制度課題を労使で共有する」ことを重視しているのである。

労働貴族はすでに昨年度の「政策制度要求」として、企業経営者の意を体して「デジタル社会を支える・電機産業の発展」の経済的・技術的支援（「脱炭素」にむけて風力発電など再生可能エネルギー部門などの事業支援や「国家戦略としてのＡＩ人材の育成」など）を政府に求めている。犯罪的なことに、新たなエネルギー政策の目玉として「休止原発の再稼働と国家プロジェクトとして小型原子炉の新開発」を掲げてさえいる。それだけではなく、「ジョブ型雇用」導入を促進するために経営者どもが政府に求めている、解雇要件の法的規制の緩和や労働時間管理の規制緩和（時間外規制の緩和や裁量労働制・フレックスタイム制度の適用対象拡大など）を容認しようとしているにちがいない。われわれはこうした労働法制の改悪を絶対に許してはならない！

「電機産業の発展」のための労働運動を突き破れ！

今春闘において電機連合加盟各単組の労働貴族は、コロナ感染拡大を口実として、ほとんどの機関会議をオンラインでおこない、職場集会や説明会などの対面の活動をいっさい放棄した。その他方で彼らは、「交渉速報」と称してオンラインで電機連合の中闘委員会報告・産別労使交渉報告や自企業の経営者どもの経営戦略を組合員に周知・徹底させ、もって会社施策に協力させることに春闘のいっさいを解消してきた。彼らは「グリーン化・デジタル化に乗り遅れるな」「自企業の持続的発展にとって自社の目標は何か」「あなたはそれを自分事にしているか」「エンゲージメント（働きがい）を向上させよ、モチベーションをあげ・スキルを磨け、そうすれば企業の発展はあなたの幸せとなる」などというように、経営者になりかわって「エンゲージメントの向上」や「組合員の意識改革・行動変革」を謳う〝働き方の洗脳教育〟をおこなってきたのだ。

　わが仲間たちは、こうした労働貴族の抑圧と闘争歪曲を突き破るために、コロナ・パンデミック下で「リモートワーク」などが強制される厳しい条件のなかでも、職場の組合員とともに対面での職場集会を開催するように労組指導部を突き上げ、オンライン職場集会でも発言したり「リモート」参加できなかった組合員に集会内容を報告したりするなどして縦横無尽に論議をつくりだしてきた。

　そして今、わが仲間たちは、企業経営者どもの超低額回答を唯々諾々と受け入れ春闘を「企業の発展のための労使協議」にねじ曲げた労働貴族を弾劾し、組合運動を戦闘的につくりかえるためのイデオロギー的＝組織的闘いを開始している。「コロナ禍」を機にテレワークやフリーアドレス制が導入されたことによって労働組織や組合組織を単位とした交流すらも壊され分断され労働者は疎外感・孤立感に陥っている。こうした職場の否定的な現実にふまえてわが仲間たちは、創意工夫して労働者に働きかけているのだ。それとともに、わが革命的・戦闘的労働者は、コロナ感染防止対策に完全に失敗し人民を困窮に陥れている菅政権、支持率の急落にヨレヨレになりながらも政権延命を賭けて東京五輪開催にしがみつきつつ労働者に〈安保強化・貧困強制〉の攻撃をかけている菅政権の打倒をめざして職場深部から闘いを創りだす決意である。

〔本誌掲載の関連論文〕

・電機春闘「デジタル化・脱炭素化」を掲げた事業再編攻撃をつき破れ　野咲　晴太（第三一三号）

・「デジタル革新」のための労使協議への陥没　立原　根太（第三〇八号）

・〝働かせ方改革〟にむけた労使協議弾劾──電機　野別　幕（第二八九号）

労働者を疎外のどん底につきおとすテレワーク

葦間　考

二〇二〇年度の実質ＧＤＰ成長率が前年度比マイナス四・六％というリーマン・ショック時のマイナス幅（三・六％）を超える戦後最悪の落ちこみとなるなか、通信・電機などの一部独占体は、過去最高の営業利益・純利益を生みだしている。

「新たな日常（ニューノーマル）」の実現を謳い文句にして、「十年かかる変革を一気に進める」（昨二〇年版「骨太の方針」）と煽る菅政権に連動し、これを〝絶好のビジネス・チャンス〟とみなしてデジタル関連事業の一挙的拡大を目論んでいるのが、電機独占体の資本家どもにほかならない。この電機資本家どもは、「生産性向上」のために社内においてもＡＩ（人工知能）システムの導入によって人員削減をすすめるとともに、「コロナ禍」を機にテレワークを一気に拡大している。このテレワークの拡大によって、労働者は新たな苦痛を強いられ、労働の疎外はますます深まっているのである。

一　テレワークの疎外性

ここでは、「コロナ禍」において電機独占体の職場に一気に拡大されたテレワークの実態について明らかにしたい。

昨二〇年四月以降、新型コロナウイルス対策の切札として、政府がとりわけ声を大にして叫んだのが〝人流七割削減のためにテレワークを！〟という号令であった。この政府の出勤率引き下げ要請に積極的に応えるかたちで、電機独占体各社は出勤率を一五％（日立）にするとか、二五〜三〇％にするとかの目標値を掲げた。これによって、従来テレワークがほとんど適用されていなかった開発部門・サプライチェーン部門・営業部門などのほとんどすべての労働者が、勤務する事業所に出勤することなく、自宅やサテライトオフィスなどで通信設備・通信機器を用いて働くテレワーク従事者となった。

A　過酷な実態

(1) 出勤日は年二回

サプライチェーン部門の事務労働者であるAさんの場合、事業所へ出勤したのは一年間で二回だけである。彼は、社内の種々の部門から送信されてくる購入依頼にもとづいて、部品材料やソフトウェアなどを他社へ発注する業務をおこなっている。打ち合わせ会議はリモートでおこなうが、自分の所属するグループの七〜八名とのみであり、グループ以外の様子はまったくわからない。基本的には「残業ゼロ」という指示が出ている。だが毎月の購入依頼の〆切日直前になると駆け込みの依頼が殺到し、購入依頼する側の記載内容の不備も多くなる。これらを確認する作業も増大し、Aさんのイライラした感情はピークに達する。それをなんとか我慢しながらしゃかりきになって発注処理をくりかえしている。

(2) 「人間としゃべりたい！」

Bさんは技術開発部門で種々の測定機器を使用して取得したデータをまとめる業務をおこなっている。「コロナ禍」で急きょ在宅勤務を命じられた。まず最初に困ったのは、「緊急時」を理由に私用パソコンを使うように指示されたが、在宅勤務で使用する私用パソコンの処理速度があまりにも遅く役に立たないことだった。Ｂさんは仕方なく自腹でパソコンを買い換えた。セキュリティ・サポート契約も含めた新規パソコンの購入額は十数万円にものぼり、とても手痛い出費となった。

さらにＢさんが困ったのは、たとえば業務に必要なアプリをインストールする際にちょっとした手順のミスなどでうまくいかないとき、周りに尋ねることのできる相手がいないことだった。うまくいかないとき、すべてチャット(注1)で尋ねる仕組みになっており、Ｂさんが質問事項を打ちこむと、それにＡＩが選択した回答が返信される。しかし微妙にズレがあるので、何度やりとりしても問題が解決しない。そこでＢさんはＩＴ関係のサポートを集中的におこなっている部署へメールで問いあわせる。この場合も問いあわせ先の電話番号は明示されていないので、メールの問いあわせにたいして、担当者がメールで返信してくる。自分が困っている状態を具体的にしゃべって伝えて解決策を教えてもらいたいにもかかわらず、一切それができない。「ＡＩじゃなくて、人間としゃべりたい！」というのが、Ｂさんの切実な叫びだ。

自宅では四六時中ＰＣの前に座らされ、たまに出勤しても職場にはだれもいない

(3) パソコンから離れられない

Ｃさんは社内の労働者からの仕事の依頼や相談を受けて処理する業務を対面でおこなっていた。いきなり在宅勤務を命じられて一番困ったのは、パソコンの前から離れられなくなったことだ。〝一〇分位なら離れてもいい〟とは言われていても、普段オフィスでやっているように、ちょっと席を立つ、ということができない。他の労働者からは見えない自宅

で仕事をしていると、より強く自己規制が働いてしまう。また、作業が遅々として進まないような状態になると、〝こんなことでいいのか！〟と自分自身を責めるような気持ちが湧いて気分が落ちこむ。もともとスポーツや体を動かすことが好きなCさんにとって、狭い自室のパソコンの前にすわりつづけることは苦痛である。単身生活ではちょっとしたおしゃべりもできず、気分転換がうまくできない。毎日うつうつとした気分でパソコンと向きあっている。

B　追いつめられる労働者

以上のように、電機独占資本家どもが「コロナ禍」において急きょ拡大させたテレワークによって、多くの労働者は新たな困難を強いられている。

何よりもまず、労働強度は極限的に高まっている。残業は基本的に禁止され、やむをえない場合にのみ上司の承認を得てからおこなうように経営者から言い渡されている。そのゆえに、ほとんどの労働者はなんとか定時までに仕事を完了させようと必死になる。また、自分の知識不足で時間がかかってしまったと感覚する労働者は、わざわざ残業申請をすることをためらい自己規制してしまう。

テレワークによって同じ労働組織の担い手である労働者が空間的に隔てられ通信回線とパソコンによって結びつけられているにすぎないとき、労働者はお互いの存在や労働のありさまを感性的にとらえることが難しくなる。たとえ資本家によって一定の場所に集められているにしても、労働者が同一の作業場所で労働する場合には、相手の様子を見ながらわからないことを尋ねたり教えあったり、手を借りたり貸したりすることが一応可能である。しかし、こうしてあたりまえにおこなわれていた意思疎通や協力しあうことがテレワークでは困難となる。個々バラバラに切り離されている労働者は、孤立感や不安感が日々高まるのだ。

また、テレワークは身体的にも大きな影響をおよぼす。パソコンの前に釘付け状態になることから、目を極端に酷使することになる。机、椅子、照明などの設備も必ずしも適切なものを準備できるわけではなく、眼精疲労や頭痛に悩まされる。長時間すわりつづけることによって、全身の血流やリンパの流れが悪化し、首・肩の凝りや腰痛、足の浮腫が発生する。

しかも、「常時リストラ」といわれているように、資本家どもは企業のM＆A（合併・買収）、不採算部門の切り捨て、新規事業分野の開拓、労働組織の再編を絶え間なくおこない、労働者には必要な新しい知識の吸収やスキルの習得をスピーディにおこなうことを強制する。テレワークで孤立し不安定な状況におかれた労働者は、資本家によって労働強度の増進を〝強制されている〟ということも自覚できなくなる。自分に与えられた「仕事」や「役割」を果たそうと懸命になればなるほど、自分自身をムチうつことにもなるのだ。

このような資本家からの諸攻撃にたいして、労働組合を牛耳る労働貴族どもは、会社経営者の問題意識をわがものとして、どのような方向で「自社」のビジネスを推進するのか、そのために自分はどのような知識・スキルを身につける必要があるのか、自分自身のキャリア形成をどうするのか、などについて労働者みずからが考えるように仕向けているのである。労働貴族どもの指導によって、労働者が労働者としての階級的な自覚を獲得していく芽は、あらかじめ摘みとられてしまうのだ。

電機独占体はテレワークの拡大によって残業代を大幅に削減し、労働強度を最大限に増大させ「生産性の向上」を実現している。電機独占体の過去最高益とは、電機労働者の日々の苦難と犠牲のうえに生みだされた強搾取の証にほかならない。

二　テレワークと一体の諸攻撃

A　「ジョブ型」雇用への切り換え

二一春闘において、電機独占体労使の重要な協議項目となったのは、「ジョブ型」雇用を一般労働者に適用していく問題であった。

経団連の二〇二一年版『春季労使交渉・労使協議の手引き』においても「ウィズコロナ時代の人事労務改革」の方向性を指南するという目的で日立の事例が紹介されているように、電機独占体は「ジョブ型」雇用への切り換えを大々的にすすめようとしている。電機資本家は、或る「職務」に或る労働者を「割り当てる」という方式がテレワークのような労働態様の場合に、個々の労働者の管理・人事評価が容易であり有効だとみなしている。

すべての「職務」とその「階層」ごとに「期待される役割・責任、経験、スキル、職務知識」を「職務記述書（ジョブスクリプト）」として作成し、それに各労働者をあてはめていく。と同時に、「人材のデータベース」と称して全労働者の「経歴やスキル、キャリア志向」（さらに性格や思想傾向なども含むだろう）を記述したものを作成する。前者と後者をマッチングするならば、ただ一人の労働者をもムダなく有効活用しうる、と〝デジタル頭〟で観念しているのが、電機独占体（とくにＩＣＴ〔情報通信技術〕を中核的事業としているそれ）の資本家どもにほかならない。

彼らはコロナ・パンデミック下での全社会的なテレワークの浸透を呼び水として、いわゆる〝労働時間にとらわれない働き方〟をおし広げ、「生産性向上」を実現することに躍起になっている。そのために労働貴族どもを最大限活用しつつ、正規雇用労働者にたいする徹底的な「意識改革」・「企業文化・風土の改革」を追求しているのである。また、すでに導入してきた「裁量労働制」や「コアなしフレックスタイム制」などを、どの「職務」のどの「階層」にまで適用するのが労務管理上有効であるのかをめぐっても労働貴族どもと協議を重ねている。

さらに、非正規雇用労働者にたいしては、テレワークに必要な知識やスキルを有し、「自己管理」のもとに契約した労働時間内にどれだけ効率的に業務を遂行しうるかということを雇用要件とすることによって、彼らを不安定な労働条件のままに繋ぎ止め、徹底的に搾取することを追求しているのだ。

B 「福利厚生費」などの大幅削減

昨春以降のテレワークの急拡大とともに、電機独占資本家どもはただちにいわゆる「福利厚生費」の見直しに手をつけ、大幅な経費削減を実現している。

そのひとつが毎月支給する「通勤手当」の廃止である。「通信費手当」ないしは「テレワーク手当」という名目で、毎月三〇〇〇~五〇〇〇円の手当を新設すると同時に、出勤した日のみについて交通費を事後的に実費精算する方式に切り換えた。

さらに、「ほぼすべての業務はテレワーク可能」という建前のもと、単身赴任を解消し、「単身赴任手当」や単身赴任者用の住居、引越し代などの廃止や削減に踏みだしている。また、リモート会議を徹底することによって出張そのものを大幅に削減し、「出張手当」・宿泊費用を削減する追求をしている。

それればかりではない。テレワークという、労働者が個々に自宅やサテライトオフィスや交通機関内でおこなう労働は、特定の作業場所で特定の労働者が常時特定の机や椅子や備品を占有する必要性を低下させる。これを「ムダ」と考える電機独占資本家どもは、いわゆる「フリーアドレス化」(註2)をおしすすめている。これによって事業所面積や備品を大幅に縮小整理し、地代・テナント料を徹底的に節約しているのだ。

事業所内のいわゆる「フリーアドレス化」は、同時に、開発テーマごとにプロジェクトを立ちあげたり、解散させたりという労働組織の頻繁な再編成にとっても、きわめて好都合だと資本家どもは考えている。労働者にノートパソコンとアダプタを持たせて、いつでもどこへでも移動させることが可能となるばかりか、レイアウト変更や引越しをおこなう経費をも削減することができるのだ。

三　電機連合「対策指針」の反労働者性

電機連合は二一春闘の直前に「労働時間対策指針」を改訂し、テレワーク対策指針をうちだした。電機連合指導部は電機独占資本家どもと同様にテレワークを積極的に推進する、という立場にたっている。テレワークを適用すべき労働者として「自己管理のもと円滑に業務の遂行ができるような知識・経験等を有する者」と明示し、非正規雇用であるというだけの理由で適用除外してはならない、としている。コンプライアンス（法令順守）の観点から非正規雇用労働者への「差別的待遇」をしないように求める装いをとりつつ、「自己管理」の可能な「円滑に業務の遂行」ができる「知識・経験」を有する労働者には、テレワークをドシドシ適用せよ、と促しているのである。

これはテレワークによって一定の「職務」を担いうる労働者であれば、正規雇用か非正規雇用かの区別なく活用せよ、と進言するものである。それは、電機独占体のすすめるICTの知識・経験を有する「自己管理」可能な労働者を、しかも安価でいつでも使い捨て可能な労働者（現行の労働基準法の適用を免れるような「個人請負」労働者も含めて）を、大量に確保する策動を尻押しするという、きわめて反労働者的な意味をもつのである。

労働時間の管理については「客観的な方法」を用いるように要請している。だがそれはパソコン操作の記録やチャット、各ツールの利用状況などの各種データを収集・分析して労働時間を計測し管理せよ、という進言であり、資本家の労務管理の緻密化を促すものにほかならない。労働者は労働手段であるパソコンによってよりいっそう雁字搦みにされてしまうのだ。

健康問題については、電機連合指導部はただ「検討項目とせよ」というのみである。インフラ費用（通信機器購入や回線敷設など）については「原則会社負担」などといいつつも、あらかじめ「就業規則」に明記するならば「労働者負担」でもよい、など抜け道を指南する始末なのだ。

さいごに

今、電機産業の職場ではデジタル技術の結晶としてのAIなどによって労働者が支配される、という事態が進行している。資本家によってシステム開発を担わされている労働者は、テレワークであっても労働過程を「可視化」したいという資本家の欲望を満たすような、労務管理ツールを生みだすことに動員されている。たとえば、個々の労働者の作業状況やモチベーションをリアルタイムで把握できるようにしたり、チャット履歴やチーム内への情報発信内容を分析してそれがどの程度知識の共有に役立っているか、チームへの貢献度はどうなのかなどをAIが評価したりするというシステムの開発だ。電機資本家はこうしたシステムを開発させてまず自社内の労働者に使用させるかたちで「実験」をおこない「改良」しつつ、これを他企業に販売できる商品として市場に送りだしている。もって膨大な利益を得ているのだ。彼らは「生産性が高い」とみなす労働者のパフォーマンス（使用するツールや活用方法・情報発信のやり方など）を分析し、これを雛形として他の労働者にも適用するというように、文字通り労働者の一挙手一投足や頭の中までデジタル技術をもって解析し、〝最適解〟を見いだすことが可能だという幻想にとりつかれている。このようなシステム開発に動員される労働者の多くは、資本家によって思考方法までもデジタル的なものに変質させられてしまうのだ。労働者をトコトン「モノ」とみなし「モノ」として扱う資本家どもを、われわれは決して許しはしない。

われわれ革命的・戦闘的労働者は、職場の労働者にみずからの労働過程とそこにおける疎外をしっかりとみつめ、哲学し、その疎外の根拠をつかみとり、その疎外から脱却する決意と闘いの方向性をみずからのものとするように促していくのでなければならない。

マルクスはわれわれに呼びかけているではないか！「人間の人間的解放の頭脳は哲学であり、その心臓はプロレタリアートである」と。これは現場で苦闘するわれわれ労働者にとって、不滅の真理なのである。

註1　インターネット上で利用者がリアルタイムにメッセージを送受信するための対話アプリケーション・ソフト（〝チャット〟とは「おしゃべり・雑談」の意）

註2　社員がそれぞれ個人専用のデスクを持たずフロアに長机や椅子、ソファなどが設置されている所で、着席場所をその都度選んで仕事をするやり方

ＩＣＴグローバル企業をめざす
ＮＴＴ経営陣の犠牲強要を許すな

久米　渡

賃上げゼロ・超低額回答＝妥結弾劾！

ＮＴＴグループ経営陣は今二〇二一春闘の労使協議の場で「今後、処遇全体をどうすべきかを検討する」と言い放った。この輩どもは、ＩＣＴ（情報通信技術）グローバル企業として国際競争にかちぬくために、労働者に「スキルアップ」と「中期事業戦略」達成を強制するテコとして、全社員を対象に「ジョブ型」の「雇用・人事・賃金」制度を導入しようともくろんでいるのだ。われわれは、大多数の労働者に低賃金と労働強化を強制する「ジョブ型」制度の導入を断じて許してはならない。

三月十七日の集中回答日にＮＴＴグループ経営陣がおこなった回答はまったく許しがたいものであった。非正規雇用労働者（契約社員）には八年連続の賃上げゼロ。正規雇用労働者（正社員）には雇用形態ごとに昨年と同水準の一人平均一四〇〇円から二〇〇〇円、しかも格差をつけて実質的には五〇〇円余でしかない。うちつづく実質賃金低落のもとで、この回答では賃下げだ。にもかかわらず、ＮＴＴ労組本部・各企業本部は、この回答を直ちに受け入れ、妥結した。しかも彼ら労働貴族は、会社回答に次のような賛辞を送りもしたのだ。「本回答は、組合員に対しての頑張りへの感謝、チャレンジへの期待を込めた重要なメッセージと受け止める」と。賃上げゼロと超低額の回答になにが「感謝」だ。ふざけるな！　経営者につき従う労働貴族を絶対に許すな！

春闘を「ＮＴＴの持続的成長のための労使協議」へ歪曲した労組指導部

ＮＴＴ経営陣は、日本のＩＣＴ産業におけるここ十数年の連戦連敗と５Ｇ（高速・大容量通信規格の第五世代）関連事業での国際的な劣勢を挽回し、６Ｇ（同第六世代）関連事業で主導権を確立することをめざして、「ＩＯＷＮ構想」（光技術を活用した低消費電力・大容量・低遅延伝送の通信ネットワーク構想）の実現で「世界のＩＣＴ市場でゲームチェンジをおこなう」と叫びたて猪突猛進している。そのために、ドコモの完全子会社化を、歴代総務大臣や官僚への「黒い接待」をもなりふりかまわずくりひろげながら強引におこなってきたのだ。

しかも彼ら経営陣は、現下の「コロナ禍」を追い風ととらえ、「コロナ時代における『リモートワールド』に相応しい新たなサービスの開発・提供、ニューグローカリズムへの対応や環境負荷ゼロに向けた取り組み」などの諸施策を強力にすすめている。そのために、「ビジネスモデルの変革（ＢＸ）」「業務プロセス変革（ＤＸ）」「組織能力の抜本的変革（ＣＸ）」「新たな事業の拡大」「リモート型の働き方」という事業計画をすすめているのだ。

この事業計画にのっとって彼らは、人件費総額を抑制して莫大な研究開発費と設備投資資金を確保しつつ「優秀な人材」を獲得・育成するために、春闘において賃上げを徹底的に抑えこみ、雇用形態と「仕事・役割・貢献度」の評価にもとづいて賃上げ幅に大きな差をつけた。さらに、「ポストや職務」

に応じた「雇用・人事・賃金」制度の改定（「ジョブ型」制度の導入だ！）と職種転換・配置転換・転籍などの攻撃を労働者につきつけたのだ。

ところが労働貴族は、「コロナ禍」を口実として職場討議など対面での取り組みの一切を放棄して、二一春闘を「NTTグループの持続的な成長・発展」にむけ「これまで培ってきた労使の信頼関係をふまえ、あらゆる経営課題に対応していく」ための労使協議に歪曲し解消し、賃上げゼロ・超低額の回答を唯々諾々と受け入れ、すべての人事労務政策に協力することを誓約したのだ。

非正規雇用労働者への賃上げゼロ回答弾劾

NTT経営陣は、無慈悲にも非正規雇用労働者にたいして八年連続の月例賃金引き上げゼロを強制した。いやそもそも非正規雇用労働者の賃上げは「交渉」の議題にもされなかった。NTT労組指導部が、「〔すべての組合員の〕年間収入二％程度の引上げを基本とする」と掲げただけで、昨年までのように非正規雇用労働者の「月例賃金改善」を要求することじたいを、経営陣と同じ土俵にたって「各雇用形態の位置づけや役割」の名のもとに最後的に放棄したからだ。

NTT経営陣は、昨二〇年度は一兆七〇〇〇億円余の営業利益をあげた。労働者とりわけ非正規雇用労働者を低賃金でこき使って、だ。それにもかかわらず経営陣は、非正規雇用労働者の「現場業務」を企業業績に影響を与えることが少ない「オペレーション業務」（定型業務）と位置づけ、彼らの賃金はビタ一文上げないことをまたしても鮮明にしたのだ。

いまや非正規雇用労働者がNTT労働者の五割近くを占め、ほとんどの現場業務を担っている。だが彼らの月収（手取り）は一〇万円前後で生活は困窮を極めている（政府の統計調査での「一人の最低生活費＝月一六万円」にさえ届かないほどの低賃金だ！）。NTT経営陣は、みずからは「一〇万円会食」の〝黒い接待〟にうち興じながら、非正規雇用労働者にはどん底の生活苦を強制しているのだ。絶対に許すな！

正規雇用形態別の超低額・格差拡大の回答を許すな

ＮＴＴ経営陣は正規雇用労働者にも超低額の回答をつきつけた。ＮＴＴ主要八社の正規雇用労働者の月例賃金は昨年と同水準の「一人平均二〇〇〇円（資格賃金七〇〇円と成果手当一三〇〇円の合計）引き上げ」という超低額の回答をおこなったのだ。強欲な彼らは、特別手当や時間外賃金の算定基準になる資格賃金（基準内賃金）を徹底的に抑えこんだ。さらに、「職場リーダー層・中堅層に重点を置いた改善」と称して上位等級に上積みして資格等級ごとの引き上げ額に差をつけたのだ。したがって「一人平均七〇〇円」とは言うものの、多くの労働者にとっては実質的には五〇〇円にも満たない。基準外賃金の成果手当も資格等級と業績評価による超低額で差をつけた。「一人平均一三〇〇円」といっても、大多数の労働者は四〇〇円そこそこだ。

グループ子会社採用の正規雇用労働者にはＮＴＴ主要八社正社員の約八割の回答であった。ＮＴＴ主要会社の正社員と同様に、この超低額回答にも役割と業績評価による差をつけた。「一人平均一八〇〇円（資格賃金と成果手当の合計）」と銘打っているが、多くの労働者の基本賃金改定は実質的には四〇〇円余にしかならない。

業務（定型）限定・地域限定の正社員（エリア社員）にたいしては、経営陣は「一人平均一四〇〇円」（資格賃金と成果手当の合計）の回答をおこなった。資格賃金（基準内賃金）の改定は、「現場業務に限定」と称して全資格等級（４等級構成）同額の四九〇円だ。成果手当（基準外賃金）の改定も資格等級間で差をつけず業績評価（Ⅰ～Ⅴ評価）ごとの同額の五段階改定で、大多数の労働者はⅡ評価の五三〇円の改定にすぎない。

まさに成果主義の徹底だ。このように、ＮＴＴで働く労働者は、雇用形態の階層分化を強いられ、雇用形態間や同一雇用形態内における「スキルの高い」とみなされた一部の労働者と数多の労働者とのあいだで賃金格差と分断が一段と広げられているのである。

〝賃下げ〟回答を受け入れた労働貴族を弾劾せよ

ところが、このような経営陣の回答を「底上げ」に寄与し「トータルで妥結に値する」と評価しているのが、ＮＴＴ労組労働貴族なのだ。十数年にわたる実質賃金の続落的低下や社会保険料の負担増などのゆえに、今回の回答では実質上の賃下げだ。現場の労働者はこんな超低額では弁当代ですぐ吹っ飛ぶと怒りをぶちまけている。どこが「妥結に値する」のか。ふざけるな！　労働貴族どもは労働者の生活苦などまったく眼中にないのだ。春闘方針や回答受け入れを表明した執行部見解には「労働者の生活向上」という言葉はひと言もない。彼らは、身も心も経営者に捧げ「ＮＴＴグループ事業の成長・発展」をめざしているのだ。

彼ら労働貴族は、非正規雇用労働者の八年連続賃上げゼロ妥結や正規雇用労働者の超低額妥結をごまかすために、「特別手当」や福利厚生のわずかばかりの「改善」をもって「トータルで妥結に値する」とおしだしている。だが非正規雇用労働者の特別手当は「名目上」二〜三万円しかない。しかもそのうち約三割は成果評価で実質的にはさらに低くなる。雀の涙にもならない。諸休暇などの福利厚生の「改善」も「同一労働同一賃金」にかんする政府のガイドラインや最高裁判決にそったものでしかないのだ。

ＮＴＴ労組指導部は、困窮を極めている非正規雇用労働者については、彼らの生活苦を改善するために要求するどころか、二一春闘では賃上げ要求を最後的に放棄した。労働貴族は、非正規雇用労働者やエリア社員やグループ会社採用社員に〝賃金を上げたければ、キャリアアップしろ〟と経営陣と同じ土俵にたって号令しているのだ。労働貴族による非正規雇用労働者・限定正社員の見殺しを弾劾せよ！

われわれ革命的・戦闘的労働者は、正規・非正規という雇用形態の壁を超えて労働者として団結し、非正規雇用労働者・限定正社員の劣悪な労働条件の抜本的待遇改善をめざしてたたかう決意をＮＴＴ労働者にうながしていこうではないか。

組合員に「自己実現」を号令する労働貴族を許すな！

ＮＴＴ経営陣は、賃上げゼロ・超低額の回答に次のように意味付与した。「グループの持続的な成長・発展に向け、中期経営戦略を強力に推進していく思いを込めて、各種施策を牽引していくことを期待し職場リーダー層・中堅層に重点を置いた〔賃金〕改善を昨年水準で実施する」と。これは、経団連の『経営労働政策特別委員会報告』で示された次のような考え方そのものだ。「定額・定率による一律配分だけでなく、職務等級・資格別や階層別の配分、業績・成果等による査定配分など、個々人の仕事・役割・貢献度等に応じて重点化を図ることで、エンゲージメントを高めるという観点からの検討が望まれる」という、それだ。

わずかばかりの「改善」でエンゲージメント（働きがい）を高めて、会社に貢献せよと言わんばかりではないか。ふざけるな！

ところが、こうした経営陣の「今後のチャレンジへの強い期待」にたいして、〃「増収増益」を継続させるために「個々人のスキル・ノウハウのブラッシュ・アップ」と「変わる」ための取り組みを重要視する〃と応えたのがNTT労組指導部だ。彼らは、そのために組合員にむかって、〃NTTグループ事業変革や「働き方改革」（データ分析やデジタル技術の習得など）にチャレンジし、会社の強い期待に応えることが自己実現だ〃と号令しているのだ。

こうした「仕事を通じての自己実現」という主張は、資本家どもが疎外労働の強制を覆い隠して労働者を従業員として生産性向上に駆りたてるためのブルジョア・イデオロギーでしかない。「資本家に管理・統制・支配された直接的生産過程での労働力の発現は、経済学＝哲学的には、資本家が商品＝労働市場でその価値どおりに購入した労働力商品の使用価値が、資本の定有としての生産諸手段の使用価値とともに現実的に消費されることである。このようなものとして賃労働者の生きた労働は資本の定有であり『価値の源泉』（マルクス）であるが、労働者にとっては強制労働であり『疎外された労働』でしかないのだ」（保志一鉄論文、本誌第三一三号）。NTT労組の労働貴族どもは、「雇用主に期待され労働報酬を期待する」という労働者の即自的な被雇用者意識を固定化し、いやむしろそれを奨励し、経営側の〃やりがい搾取〃に組合員をさしだすといった反労働者性をあらわにしているのだ。

NTT労組本部は、経営陣がふりまく「ICTによる社会課題の解決への貢献」に次のように呼応している。「新型コロナウイルス感染拡大に伴う『ニューノーマル』への対応を契機に、ICTは国民生活や経済活動の維持に必要な技術（Essential Tech）として、これまで以上に重要性が増している」と。まさに〃低賃金でも誇りをもってICT産業で働け〃と労働者にむかって煽っているではないか。労働貴族どもは「NTTグループ事業の成長・発展」が雇用・労働条件改善につながるといった「労使運命共同体」イデオロギーに骨の髄まで侵され、企業の「第二労務部」へと純化をとげているのだ。彼らは、階級対立を否定し、階級融和思想にもとづく労使協議路線にのっとって、二一春闘を「ＮＴＴ事業の持続的な成長のための労使協議」に歪曲し、非正規雇用労働者への八年連続賃上げゼロと正規雇用労働者への超低額の回答を即座に受け入れ妥結したのだ。企業の成長・発展のために労働者に犠牲を強制するＮＴＴ経営陣を下支えし全面協力する労働貴族を弾劾せよ！

われわれは、ＮＴＴ労組の労働貴族の反労働者性を暴露し、組合員に即自的な被雇用者意識からの脱却、階級的自覚をうながすための柔軟なイデオロギー闘争を縦横無尽にくりひろげようではないか。

低賃金・労働強化を強いる「ジョブ型」制度導入阻止！

同時にわれわれは、ＮＴＴ経営陣による「ジョブ型」制度導入や配転などの攻撃を阻止するために奮闘しようではないか。ＮＴＴ経営陣は、回答にあたって「今後、社員の働きがいとエンゲージメントを高めるため、処遇全体をどうすべきか検討をすすめる」という趣旨の提案をおこなった。それは「ポストや職務に応じた処遇のあり方」すなわち「ジョブ型雇用」を意図したものである。また、「中期経営戦略の実現」のためには「デジタル人材など」の「多様な人材の確保・配置・育成が重要」という名のもとに職種転換・配置転換・転籍などをうちだしている。

彼ら経営陣は、「定型的業務」とみなした仕事はすでに「ジョブ型雇用」というべき非正規雇用労働者や限定正社員に担わせ低賃金で酷使している。これに飽きたらず、ＩＣＴグローバル企業として国際競争をかちぬくために必要な「優秀な人材」を外部から確保するのみならず、社内の労働者に新しい技術・技能・知識を習得し発揮させるために「雇用・人事・賃金」制度を「ジョブ型」に変えようとしているのだ。それは同時に、労働者を分断支配し、経営陣が求める「スキル」を身につけ発揮することができないとみなした労働者には職種転換・配置転換・転籍を強制し低賃金で働かせるためでもある。

ところが、この「雇用・人事・賃金」制度改定の提案をＮＴＴ労組指導部は次のように容認している。「グローバル規模での市場環境の変化と技術革新のスピード、携帯市場を中心とする競争環境の激化や、ＤＸを通じた業務内容の見直しが、事業運営と働き方に影響を与えることは必至であり、この中で、働きがいを高めていくことについて否定するものではない」と。われわれは、労働者に犠牲を強制する「ジョブ型」制度の導入や職種転換・配置転換・転籍・テレワーク拡大による長時間労働などの攻撃を容認するＮＴＴ労組の労働貴族を弾劾し、職場深部からこれらに反対する闘いを粘り強く創造しようではないか。

しかもＮＴＴ労組本部は「コロナ禍」を口実に、このかん形ばかりではあれとりくんできた「平和活動」の一切を放棄している。われわれは、このようなＮＴＴ労組本部を弾劾し、「辺野古新基地建設阻止」や「台湾有事・尖閣有事を想定した対中国戦争作戦構想にもとづく自衛隊と米軍との一大実動演習反対」の〈反戦反安保・改憲阻止〉の闘いを断固として創造しよう。

われわれは、このような闘いのただなかで種々の組合内左翼フラクションを創造・強化拡大しＮＴＴ労働運動の左翼的推進とＮＴＴ労組の戦闘的強化をめざしてたたかおう。

トヨタ二一春闘　企業生き残り策をめぐる労使協議の反労働者性

西　岡　　剛

〝「デジタル化」と「カーボンニュートラル」を二本柱として、今後三年間、労使で取り組みを進める。〟

トヨタ社長・豊田章男は、トヨタ労組指導部が「'21ゆめW」と称する春季労使交渉の会社側回答として右のように言い放った(二〇二一年三月十七日)。これをうけてトヨタ労働組合執行部は「五五〇万人の自動車産業の発展のためにトヨタ労使が一丸となって取り組むべき方向性を示すものとしてうけとめ」、「感謝の念」をもって受け入れると表明したのである。

例年であれば「ゆめW」と称するトヨタの春季労使交渉は、形ばかりは賃金をめぐる交渉としてもたれてきた。しかし、今年は「トヨタの今後のあるべき道」を協議する、すなわち、「トヨタ資本の生き残りのための経営戦略」をめぐる協議の場として純化されたのである。そもそも労組委員長・西野勝義は、要求書提出時に「賃上げ」についてひと言もふれず、経営陣は労使協議会の初回に「トヨタは特別に高い賃金を支払っているから協議の対象にしない」と通告したのであった。「賃金」については社長が〝回答〟の最後にわずかに「要求どおり」とふれただけである。だが、組合執行部の「要求」じたいが「賃上げ分」を非公表とし、実質上賃上げ要求を放棄したものではないか。何が「要求どおり」だ。フザケルナ！

「賃上げ」要求を放棄し、経営陣につき従って「トヨタの生き残り」のための労使協議に埋没した労働貴族を弾劾せよ！

自動車産業の「リード役」を自任する経営陣

会社側回答にあたって社長・豊田章男は次のようにぶちあげた。

「デジタル化とカーボンニュートラルは労使で取り組む『二本柱』である。『デジタル化』については、三年間で、世界のトップ企業と肩を並べるレベルまで一気にもっていく。『カーボンニュートラル』は日本のモノづくりの基盤を守り、五五〇万人の雇用を守る闘いだ。この二本柱においてトヨタの労使が自動車産業の『リード役』を務め、五五〇万人の仲間から『ありがとう』と言ってもらうのだ」と。

この社長の驕り高ぶった言辞を、トヨタ労組委員長・西野は「感謝の念」をもってうけとめ、次のように決意表明した。「カーボンニュートラル社会やデジタル化の実現に向けて五五〇万人の自動車産業の仲間と一緒にやっていく」。「日本にモノづくりを残し、雇用を守っていくためにも、労働組合としても全力で取り組んでいく」と。日々「乾いたぞうきんを絞る」ようにコキ使われ搾取されている労働者の苦しみとは無縁なところで、トヨタ独占資本の忠実な下僕として、トヨタ独占資本の生き残りのための経営戦略を貫くためにひたすら献身すると表明しているのだ。しかも、トヨタ労組以外の自動車産業で働く労働者をもトヨタ独占資本の生き残りのために献身するおのれの道づれにひきずりこもうとしているのだ。

三年前に「自動車産業の百年に一度の危機をわかっていない。オレの危機感を共有しろ」と社長・豊田章男に恫喝されて以来、二年以上にわたって「豊田綱領」とか「労使宣言」をもちだしては「トヨタ一家」意識（「労使運命共同体」思想）を組合員に叩きこむ水先案内人を務めてきたのがトヨタ労働貴族どもである。彼らじしんが、トヨタ経営陣の意を体してトヨタ労組員に「トヨタはひとつ」などと唱和させ、労組員全体に「トヨタ一家」意識をすりこんできたのだ。そればかりか、トヨタ経営陣が「トヨタ改革」にとって「最大の癌」と目する「過去の成功体験に胡坐」をかいているとみなしたマネジメントクラス（中堅管理職）を一掃し、再編成するための手先として使われてきたのが労働貴族どもである。

同時に豊田章男は大量にかかえこんでいた「顧問」とか「副社長、専務・常務」などの上級経営陣を再編成し、社長・豊田章男の意のままに動き回る経営陣へとつくりかえてきた。まさに労働貴族どもを「社長と危機感を共有」し、社長の意のままに行動する集団としてつくりあげてきたことをテコにして、トヨタ全体を〝社長専制〟の体制としてつくりあげてきたのだ。そのうえにたって＜パンデミック恐慌＞の今日、トヨタの生き残りのための戦略を練りあげ、労使一体でとりくむと宣言したのが今二一春季労使交渉である。

トヨタ労使が一体化して実行すると宣言したトヨタ生き残り戦略の内実は、「自動車産業労働者五五〇万人」に「ありがとう」と言ってもらえるどころか、多くの自動車労働者を極限的な労働強化と解雇・首切りの嵐にさらすことになる超反労働者的な代物にほかならない。

トヨタ社長が「回答」を提示するにあたって強調したことは次の三点である。

①自動車工業会会長として記者会見したときの見解をくりかえして、「今後は同じクルマづくりでも、CO_2排出の少ないエネルギーでつくれる国にシフトする。もしクルマの輸出ができなくなれば国内生

産（九六八万台）の約半分の輸出分（四八二万台）は海外へ生産シフトされると予想される。そうすれば自動車業界が稼いでいる外貨一五兆円が限りなくゼロになり、七〇～一〇〇万人の雇用に影響がでる。」

②日本は過去二十年で走行時CO_2を二二％も削減し、現在、電動化率は世界でトップクラスである。今後も「日本のモノづくりを守る闘い」、産業構造の変革も「自動車をど真ん中」にすえていく。日本のモノづくりの基盤を守り、五五〇万人の雇用を守りながら、カーボンニュートラル社会を実現する。

③「デジタル化」と「カーボンニュートラル」の二本柱において、トヨタの労使が自動車産業の「リード役」を務めることができるならば、五五〇万人の仲間から「ありがとう」と言ってもらえるかもしれない。その先に「世界中の人たちを幸せにするモビリティ社会」があると信じる。

まさにトヨタ資本こそが「カーボンニュートラル」を実現するトップランナーであり、「日本のモノづくりを守る闘い」の盟主、自動車産業にかかわる五五〇万人の幸せを守る守護神であるかのようにうそぶいているのだ。これをうけてトヨタ労組の労働貴族どもは完全に洗脳され、「私たち一人ひとり、五五〇万人の仲間、みんなの未来をかけて、日本のモノづくりを残し、雇用を守っていくためにも、労働組合としても全力で取り組んでいく」と応えたのだ。

「企業内組合に徹する」と表明した労働貴族

最終回答に先立つ第三回労使協議会（三月十日）において、トヨタの「カーボンニュートラル」推進の責任者と思われる寺師茂樹EF（エグゼクティブフェロー）から、トヨタが「カーボンニュートラル」に向けて実行することが具体的に説明された。

まずもって、「カーボンニュートラル」とはライフサイクルのなかで発生するすべてのCO_2をゼロにするということである。「菅総理がすべてのCO_2をゼロにするのがカーボンニュートラル」と宣言したのでトヨタもやるのだ、と寺師は述べている。国策としてやるのだと言い放っているのだ。

①省エネ

日本の得意技である少ないエネルギーでモノをつくる。トヨタであれば「ＴＰＳ」（トヨタ生産方式）と「原価低減」。現時点で一番効率的なＨＶ（ハイブリッド車）やＰＨＶ（プラグインハイブリッド車）をうまく使いながら徐々にCO_2を減らす。

②技術革新

水素の技術が大事である。太陽光や風力発電では日中と夜間や風の強弱によって山と谷ができる。これを打開するために水素と空気中のCO_2を使ってe-fuel（エンジンで利用可能な液体燃料）を作る。これが実現すると今のインフラ、トランスミッションなどがそのまま使える可能性がある。新しい技術と経済的合理性が同時に実現できる。技術開発の腕の見せどころだ。

③仲間づくり

カーボンニュートラルはまさに国家プロジェクトである。だから、みんなで仲間で一緒になって行動していくことが大切である。

あたかも国家的課題である「カーボンニュートラ

ル」を実現するために、トヨタは労使一体となって「日本のモノづくり産業・自動車産業」を代表し、最先頭で奮闘するかのようにおしだしている。だがしかし、トヨタが具体的に実行しようとしていることにふみこんでみれば「日本のモノづくり」、自動車産業を代表するどころか、「自動車産業で働く五五〇万人の労働者の雇用」を盾にして、トヨタ資本の生き残りのための個別・独自利害を貫こうとたち回っていることは明らかである。寺師の提起の意味するものを具体的に追求するにあたって、他の経営陣は語っている。「バッテリーEV（BEV＝電気自動車）ありきと考えるのでなく、HV・PHV、そしてBEVと幅広く、電動パワートレインソリューションを用意していくことがトヨタのやるべきことである。日本の電動化は遅れていない。ヨーロッパ・アメリカ・中国にたいして先行している」、「LCA（ライフサイクルアセスメント）で考える、EVよりもPHVがCO_2の排出量が低いのが事実。HV技術の強み。その強みを生かしていく」などと語っている。

明らかに〝トヨタ独り勝ち〟となっているHV・PHVを除外して一気にEV化を進めるという土俵での世界的競争からたち遅れ、今後も開発で先行するヨーロッパ・アメリカ・中国の自動車企業や、資金力で優る巨大IT企業に負けかねないことからして、中国のようにHV・PHVを電動車扱いする国を増やすことをもくろんでいる。そこにトヨタ資本の生き残る道をみいだしているのだ。

この寺師らトヨタ経営陣の提起をうけ、トヨタの労働貴族どもを代表してトヨタ労組の副委員長ふたり、支部長ひとり、そして書記長が次々に決意表明にたった。

「カーボンニュートラルについては、正しく認識することが取り組みを進める上で第一歩だと分かった」。「カーボンニュートラルの観点が第一歩だと分かった」。「カーボンニュートラルの観点で取り組まなければ、コスト競争力だけでは選ばれない時代にきていると感じた」。「日本にモノづくりを残していくためにはトヨタだけではないわけで、五五〇万の仲間の皆さんとカーボンニュートラルの取り組みが必須なんだ」。「TPSとカーボンニュートラルは非常に親和性が高いもの。カーボンニュートラルを進めていくためにもTPSが必要」。

こうして、トヨタ経営陣が語る言葉をそのままなぞる形でトヨタ労働貴族どもは決意表明したのだ。そのあげくに書記長・光田は語った。「組合としては、これまで産業レベルの大きな話は、上部団体がやっていくと考えていたが、今後は『企業内組合の立場だからこそできる』ことに取り組んでいく」と。まさに彼ら労働貴族は、もはやタテマエとしても春闘における〝相場形成のリード役〟を担うことを放棄し、トヨタのために「トヨタの企業内組合」（御用組合のことだ！）に徹し、社長・豊田章男の語るところの「トヨタの家族」の一員として労働組合・労組員はふるまう決意を表明したのだ。

そして最後に委員長・西野がしめくくりの言を述べた。「過去の労使協議は労使が主張のぶつけあいに終始する面もあったが、この二年間で本当に共通の基盤に立ち、話し合いをするように悩みながら取り組んできた。労使が対立軸でなく、同じ方向を向いて、本音のコミュニケーションを続け、労使で一緒になって様々な課題を進めていきたい」と。トヨタ経営陣に改めて忠誠を誓ったのだ。

二〇一九年三月六日に、社長・豊田章男に「百年に一度の危機をわかっていない。赤字の時も大変な時も〔自分は〕従業員のためにやってきた。それをわかっていない」と恫喝され、「今後は家族の会話をする」と称して、一方的に社長の意のままに働くことを強要され、それをそのまま受け入れてきたのがトヨタ労働貴族どもである。そのたどりついた先が今日のトヨタ労働貴族どもの姿である。

ひたすら「豊田綱領」にもとづく〝産業報国〟の精神、「労使宣言」にもとづく「会社は従業員の幸せを願い、従業員は会社の発展を願う」などという「労使運命共同体」のイデオロギー、はては「円錐形」の思想などという、豊田章男を「家長」とする「トヨタ一家」意識（取り引き先や顧客もふくめたそれ）が次々と、くりかえし唱和させられ労働者に叩きこまれてきた。労働貴族どもがそれを積極的に受け入れ、傘下の労働組合員にも強要してきたがゆえに、労働組合員全体が労働者的感性も感覚も麻痺させられ、そのうえに「ＴＰＳと原価低減」を徹底することを叩きこまれ、能力を最大に発揮することを強要されてきた。こうして労働組合全体が労働貴族どもに先導され、トヨタ資本の経営陣の意のままにつき動かされるものへとつき落されてきたのだ。まさに労働組合は「第二労務部」と化しているのだ。

こうした労働者にとっては許しがたいものへと労働組合を変質させてきたことをもって労働貴族どもは「今後は企業内組合に徹する」などと言い放っているのだ。そのうえにたってトヨタ資本が生き残りのために練りあげた経営戦略に同調し、それにのっとって組合員を動員しているのが労働貴族どもである。

「ＥＶ開発競争」たち遅れのトヨタ式とりもどし策

「カーボンニュートラル」を実現することをめぐって、自動車産業は走行時およびＬＣＡのCO_2排出量を削減するために世界的にも、日本国内においても激しい競争をくりひろげている。走行時のCO_2排出量がもっとも少ないといわれるEV（電気自動車）の開発・普及をめぐって既存の自動車産業ばかりではなく、新たにIT企業などもまきこんで激しい競争がくりひろげられている。自動車製造量世界一を誇るトヨタがこのEV開発競争に大きくたち遅れていることは明らかである。EVのブランド別ランキングではアメリカのテスラが首位を独走しており、上位十ブランドの中にトヨタをはじめ日本の自動車メーカーは入っていない。そのうえ、アメリカの巨大IT産業アップルがEV生産にのりだすといわれている。これら新興IT企業は巨額の資金力をもとに既存の自動車メーカーに投資したり、買収するなどして一気に大量生産にはしるにちがいない。しかも、EVの製造にあたっては、クルマの駆動源がガソリンで動くエンジンからバッテリーで動くモーターへとかわることから部品点数が従来より少なくなるとともに他のものとかわることになる。トヨタは系列下にガソリン車向けの部品メーカーをかかえこんでおり、厖大なサプライチェーン（部品供給網）を形成している。したがってEV化を進めるならばそのサプライチェーンの再編成が不可欠となり、多くの中小・零細企業の再編・淘汰、切り捨てが不可避となり、そのもとで働く労働者の解雇が大問題となるのだ。すでにエンジン車用部品供給の再編成に向けてトヨタは系列の巨大部品メーカー・アイシンなどの企業の再編成を進め、傘下の中小部品メーカーの再編・淘汰にのりだしている。末端の中小・零細企業のなかには先を見こして自主廃業にふみきるものなどがでている。

他方で、駆動源がかわるならば、それにともなう充電設備などのいわゆるインフラ設備の再編・設置などがなされなければならない。これらは日本国内ではヨーロッパなどにくらべてはるかに遅れている。この遅れをとりもどすことはトヨタが一企業としてできることではない。国家的なインフラ設備拡充への投資なしにはできない。さらには「カーボンニュートラル」を実現するためには、日本の電力供給の約八割が液化天然ガスや石炭などの化石燃料に依存していることから、再生可能なエネルギーを主力電源とするエネルギー構造に変えなければならない。これまた、トヨタ資本が一企業としてできることではない。

こうした条件のもとで首相・菅義偉が二〇三五年までに新車の乗用車をすべて電動化すると発表した以上、電動車の主力は当面、トヨタが言うようにガソリンとモーターを両方積んだHV・PHVなどのハイブリッド車にするべきである、と主張しているのがトヨタ経営陣である。それとともに、EVを普及させるためには、それにふさわしい開発投資・インフラ設備の設置さらには発電や製鉄の「脱炭素化」に向けた技術開発と資金援助などを国家の責任でやるべきであると政府に直談判するためにのりこんでいるのがトヨタの経営陣である。

トヨタ経営陣は「カーボンニュートラル」を唱えつつ、当面は自社にとって「有利」とみなしているHV・PHVなどを普及させようとしているのだ。許しがたいことには、「五五〇万人の雇用を守る」という表看板のもとで、すでにCO_2削減のための電動化の推進にともなうサプライチェーンの大再編を進め、多くの中小・零細企業の倒産・廃業、それにともない多くの労働者を解雇し、路頭に迷わすことについては意に介することなく放置しているのが、トヨタ経営陣だ。

自動車労働者はいまこそ団結して闘おう

　トヨタ労働貴族どもは、〈パンデミック恐慌〉下の二一春闘においてトヨタ経営陣がうちだす〈トヨタ生き残り〉のための経営戦略を積極的に受け入れるばかりか、労使交渉が開始された初回からむしろ組合側から協議の主要議題として「カーボンニュートラル」「デジタル化」をとりあげ、労使一体で推進するための方策さえ提案してきたのだ。トヨタ経営陣がうそぶき、トヨタ労働貴族どもがそのまま鵜呑みにし、唱和してきた「トヨタ労使が日本のモノづくり産業を守り、五五〇万人の自動車産業労働者の雇用を守ることによって、働く労働者に『ありがとう』と言ってもらえる」などという言辞は、トヨタ独占資本の個別的・独自的利害を貫き通すための大法螺（おおぼら）にほかならない。

　すでに昨年来の〈パンデミック恐慌〉のもとで自動車関連の数万人ともいわれる非正規雇用労働者は解雇され、残された中小・零細企業の労働者は正規雇用労働者といえども一時帰休、賃金削減・一時金の切り下げを断行され生活苦にあえいでいる。さらにトヨタ労使が一体化してトヨタ資本の生き残りをかけて「デジタル化」「カーボンニュートラル」の経営戦略の実現にはしるならば、中小・零細企業の倒産・廃業、それにともない大量の労働者に解雇・首切りの嵐がふき荒れるにちがいない。

　この未曽有の反労働者的な攻撃のお先棒をかつぐ、「企業の第二労務部」と化したトヨタ労組の労働貴族どもの反労働者的・反階級的な所業を許してはならない。心あるすべての自動車産業労働者は企業・所属組合、そして組合への加盟・非加盟の枠を超えて自動車労働運動の再生のために団結を固めてがんばろう。

〔本誌掲載の関連論文〕

・「人間力」を掲げ労働者に重犠牲を強いるトヨタ新「職能給」　東郷　渡（第三一三号）

・自動車総連二〇二一春闘方針批判　根本省吾（第三一二号）

「脱炭素化」をめぐる米日・中・欧の経済争闘戦の激化

守門勘九郎

二〇二一年四月二十二~二十三日、米大統領バイデンがアメリカのパリ協定復帰を内外にアピールするために呼びかけ主催した気候変動にかんするオンライン・サミットが、イギリス・ドイツ・フランスや中国・ロシア・インド、日本などの四十ヵ国・地域の首脳が〝出席〟して開催された。議論はなく演説をおこなうだけの今サミットにおいて各国権力者は、今年十一月にイギリスで開催される国連気候変動枠組み条約第二十六回締約国会議(COP26)にむけて自国の「野心的な目標」なるもののアピール合戦をくりひろげた。「二酸化炭素などの温室効果ガスの排出量を二〇五〇年までに実質ゼロ(カーボンニュートラル)とする」ための中間目標(二〇三〇年)の見直しや化石燃料利用(石炭火力発電など)の規制などをめぐって議論するCOP26(註1、2)。これにむけて米・中をはじめとする各国が温室効果ガス削減と「脱炭素化」の技術開発・普及をめぐって利害をぶつけあう前哨戦をくりひろげたのだ。

I 温室効果ガス「削減目標」の競い合い

サミット冒頭でバイデンは「今後十年で気候変動危機による最悪の結果を避けるための決断をしなければならない」と〝周回遅れ〟の宣言をおこない、アメリカの温室効果ガス削減目標を「二〇三〇年に〇五年比五〇%減」に引き上げると発表した（従来の目標は、トランプが投げ捨てた、「二〇二五年までに同二六～二八%削減」というオバマ政権時代のもの）。この輩は、世界第二位の温室効果ガス排出国（122頁の図1参照）であることには頬被りして、前大統領トランプが脱退を強行したパリ協定に復帰した己れの〝決断〟をアピールした。「脱炭素化」技術開発とその産業・事業育成をエネルギーのみならず自動車・鉄鋼・化学など諸産業の「一大変革」の起爆剤となるとみなし、技術開発の主導権を欧州諸国や中国から奪取していくために、温室効果ガス削減をめぐる論議をみずからがリードすることをもくろんだのが、バイデンなのだ。

このアメリカにたいして中国の国家主席・習近平は、COP26の課題とされている「二〇五〇年の実質ゼロ達成」という目標を無視し、昨秋に決定した「二〇三〇年までに二酸化炭素排出量を減少に転じさせ、六〇年までに実質ゼロにする」という中国の目標を「人類運命共同体構築推進の責任感と持続可能な発展実現の内的要求に基づいて下した重大な戦略的政策決定である」などと意義づけ誇示した。しかも、「『〔先進国と発展途上国との〕共同だが差異ある責任』の原則を堅持すべきだ」とぶちあげた。習は、世界第一位の温室効果ガス排出国であり石炭火力発電所の大増設などによって温室効果ガスの排出量を増やしつづけていること（註3）を居直り正当化するために、「世界最大の発展途上国」として「開発の権利」を主張し、「排出ピークからゼロまでの時間は、先進国が要した時間よりもはるかに短く、大変な努力を要する」とおしだしたのだ。しかも、「石炭消費量については二〇二六年から三〇年にかけて徐々に減らしていく」というように、二〇三〇年まで石炭をフル活用していくことを宣言したのだ。

この中国に呼応してインド（世界第三位の温室効果ガス排出国）の首相モディは「一人当たりの排出量は世界平均より六〇%も低い」と強調し、ロシア大統領プーチンは「ロシアは二酸化炭素換算で年間二五億トンと推定される自然の吸収力で地球規模の貢献をしている」ことをおしだしただけで、二人とも温室効果ガスの削減目標を口にさえしなかった。

〔図1〕　国別のCO_2排出割合

排出量合計　約335億トン（2018年）

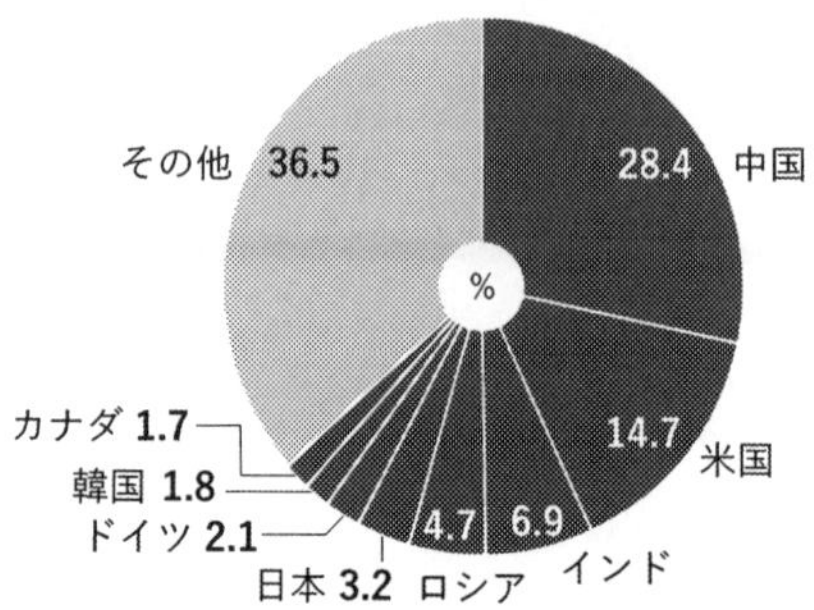

中国 28.4
米国 14.7
インド 6.9
ロシア 4.7
日本 3.2
ドイツ 2.1
韓国 1.8
カナダ 1.7
その他 36.5
%

これらと対照的に、脱炭素化関連産業の振興に「ヨーロッパ復活」の命運をかける欧州諸国権力者は、EUとして二〇年末に発表した「二〇三〇年に一九九〇年比五五%減」の目標を「五七%減」に引き上げ、もってみずからを「環境先進国」としておしだした（註4）。〔EUの盟主ドイツは二〇三〇年の目標を同五五%から六五%に引き上げ、EUから離脱したイギリスは「二〇三五年に同七八%減」を決定した。〕

こうした脱炭素化をめぐる国際競争での立ち後れに焦る日本の首相・菅義偉は、東日本大震災ですべての原発が稼働を停止し火力発電による二酸化炭素排出量が多かった二〇一三年度を基準年として、「二〇三〇年度の目標を〔従来の〕二六%減から四六%減に引き上げ、さらに五〇%の高みにむけて挑戦をつづける」と表明した。「温暖化対策への逆行だ」という国際的非難を浴びてきた、日本企業による石炭火力発電プラントの輸出については黙りを決めこんで。

このように今サミットでは、各国権力者が自国の温室効果ガスの「削減目標」を発表し相互に牽制しあった。権力者どもは、自国の経済発展と「エネルギー安全保障」を左右しかねないものとみなす脱炭素化をめぐって国際競争を激化させているのであって、COP26では各国の利害をぶつけあうにちがいないのである。

II 「脱炭素化」技術の覇権確立をかけた激突

「グリーン成長」に起死回生をかける欧州諸国

欧州諸国権力者は、「グリーン・リカバリー」を掲げた〈パンデミック恐慌〉ののりきり策を、長期停滞し没落するヨーロッパの起死回生をかけて「脱炭素化」の技術開発・生産・普及を加速させるテコたらしめようと奔走している。EU諸国は、域内諸国の政府債務危機の救済を眼目とする欧州復興基金(七五〇〇億ユーロ)の三割を投じて、二〇一八年に決定した「グリーンディール」と題するEUの投資計画——三〇年までの十年間に一兆ユーロ(約一三〇兆円)の公共投資とそれを起爆剤として民間の環境投資を一兆九五〇〇億ユーロ規模に増やすというそれ——の実施を急いでいるのだ。〔イギリス政府は、二〇二〇年十一月に「グリーン産業革命」と称して洋上風力による発電量を三〇年までに現在の四倍となる四〇〇〇万キロワットに増やすなど、総額一二〇億ポンド＝約一・八兆円の投資計画を発表した。〕

北海の強い風と遠浅の海という条件下で安価に発電できる洋上風力発電を増やしているイギリスやオランダ、水力資源が多いノルウェー、平坦な大地を利用して太陽光発電や地上風力発電を増やしているドイツなど、欧州諸国の多くはすでに再生可能エネルギーによる電気を安価で大量に生みだし利用するインフラを整備し拡充している(総発電量の四割を占める)。この地歩にふまえて欧州諸国権力者は、国際競争に勝ちぬくために、この安価な再生可能エネルギーの主力電源化と、これを活用した水素の製造・発電利用や電気自動車(EV)・燃料電池車(FCV)の開発・生産・サプライチェーン構築に力を注いでいるのだ。

ＥＵ諸国・欧州委員会は、域内の環境基準をＥＵ諸国企業に有利となるように決定し（日本企業が圧倒的に優位にあるハイブリッド車を含むガソリン車を全面禁止するなど）、国際的な環境基準をめぐる協議の主導権も握ろうと策している。三〇〇〇兆円ともいわれるＥＳＧ投資（環境・社会・企業統治を重視する投資）を域内に呼びこむために「環境投資」の分類を決める「タクソノミー」づくりを先行的にすすめ、ＣＯＰ26では「国境炭素税」（温暖化対策が不十分な国からの輸入品への課税）を提案し協議を主導することを狙っている。輸入相手国に高い環境基準を求め、輸入品に課税し製品価格を引き上げることによってＥＵの産業競争力を維持しつつ相手国にＥＵの脱炭素化技術を売りこむことやＥＵ域内に生産拠点を移させることを、さらに税収を欧州復興基金に充てることをもくろんでいるのだ。

対中・欧の巻き返しに狂奔するアメリカ

この欧州諸国の後塵を拝しながらも、にわかに〝地球温暖化対策の先進国〟としてふるまいはじめたのが、アメリカのバイデン政権だ。

このかんアメリカは、新たな技術開発によってシェールガスやシェールオイルを安価に大量生産できるようになったことやトランプが環境規制を緩和したことのゆえに化石燃料依存が強まり、ＥＶの普及も遅れてきた（二〇一九年の温室効果ガスの排出量は〇五年比で一三％減、〇九年比ではわずか四％減）。他方、中国が太陽光発電パネルや風力発電機、ＥＶとその車載蓄電池など、エネルギーと自動車などにおける脱炭素化＝脱石油の技術や製品の開発・生産・普及において先行しつつある（ＥＶ普及台数・充電インフラ設置数、太陽光発電パネルや風力発電機の導入量・生産量はいずれも世界一）。こうして中国がアメリカの高度先端技術部門や新たなエネルギー源（動力源・電源など）開発における覇権を脅かしていると危機感を募らせているのが、没落帝国主義アメリカのバイデン政権なのだ。

この状況を覆し脱炭素化技術開発での巻き返しをはかるためにバイデン政権は、膨大な資金を投じて環境対策関連などのインフラ整備（二兆二五一〇億ドル＝約二四〇兆円）を決定した。これは同時に、＜パンデミック恐慌＞から脱却するための景気刺激策＝雇用拡大策でもある。

この政権は、「われわれが再生可能エネルギー革命を主導できなければ、中国との戦略的競争に勝つことは想像しがたい」（米国務長官ブリンケン、四月十九日）と公言し、ＥＶ支援策（購入補助金・税制優遇、三〇年までにＥＶ充電設備の全米五〇万ヵ所設置など）に計一七四〇億ドル（約一九兆円）を、電力網整備に一〇〇〇億ドルを、さらに太陽光発電や風力発電への投資の一部を税額から控除できる制度の拡充や新型原子炉開発支援などをうちだしたのだ。党＝国家官僚が先導して「中国製造二〇二五」などの産業振興策（補助金など）をもって中国企業の技術開発・普及を支援している中国。この「市場社会主義国」中国との「二十一世紀を決定づける戦略的競争」を勝ちぬくためにバイデン政権は、高度先端技術関連製品の対中国企業輸出規制をトランプ政権時代よりもさらに強化し、みずからも国家主導で高性能半導体の国内製造や脱炭素化にかかわる技術開発とその普及のために膨大な国家予算を投入して支援しはじめたのだ。

しかもバイデンは、中国との脱炭素化技術開発競争に勝ちぬくために「属国」日本の政府・企業に協力させようとしている。気候変動サミット直前の日米首脳会談(四月十六日)において、バイデンは菅とのあいだで「日米気候パートナーシップ」と題する付属文書を交わした。この文書において米・日両権力者は、環境規制の国際基準づくりで欧州諸国や中国に対抗するために、温暖化対策の枠組み(パリ協定)の「未決定要素の策定」(環境規制基準づくり)で日・米が協力することや中国に「発展途上国」としての優遇措置をもはや認めず「先進国」並みの削減努力を求めることを謳いあげた。そしてバイデンと菅は、米・日両国の脱炭素化をめぐる国際競争での立ち後れを挽回するために、再生可能エネルギー・蓄電池・次世代送電網を、さらに許しがたいことに「革新原子力」(小型モジュール炉)などの技術開発における日米協力をうちだし、その実現に奔走しているのだ。

アメリカからの技術覇権奪取に挑戦する中国

このアメリカに対抗して中国の習近平は、二〇四九年の建国一〇〇周年までにアメリカ帝国主義を凌駕する「社会主義現代化強国」を建設するという大目標を達成するために、アメリカからハイテク技術覇権を奪うテコとして脱炭素化技術およびデジタル技術の開発・普及に狂奔している。国有企業をはじめとする企業や地方政府・党組織に「イノベーション主導型国家建設による『製造大国』から『製造強国』への転換」という大号令をかけつつ補助金・規制緩和などの優遇措置をもって支援しているのだ。

しかも中国は、「二十一世紀世界における民主主義と専制主義との闘い」を掲げたアメリカの対中包囲網づくりに追いつめられ焦りつつ、これを突き破るためにも、地球温暖化対策と経済成長策とをめぐって欧州諸国や発展途上諸国との協力関係を築き、これらの国々を〈中国をハブとする国際的サプライチェーン〉にひきずりこもうと画策している。気候変動サミットにむけて習近平は、ドイツ首相メルケルとフランス大統領マクロンとのオンライン首脳会議を――日米首脳会談に合わせて――おこなった(四月十六日)。昨年末にEU諸国と中国・EU投資協定締結を大枠合意した地平にふまえ、巨大な中国市場(年間新車販売=二五〇〇万台など)に大きく依存する独・仏の権力者を抱きこんで気候変動対策でも協力することを謳いあげた。それとともに、〝中国主導経済圏〟をつくりだすための「一帯一路」構想の行きづまりを打開することをもくろんで・これを「ウィンウィン」をめざすものだとことさらに強調しつつ、アジア・アフリカ・中東などの諸国に様ざまなエネルギー関連事業(米欧日諸国が手を引きつつある石炭火力発電事業など)で支援して経済関係を強めているのだ。

米・中角逐のもとで促進される新たな環境破壊

こうして米・日・欧・中などの各国権力者は今、EV・再生可能エネルギーなどの技術開発と市場制覇をめぐる対立を深め、温室効果ガス削減交渉と環境規制の国際基準づくりの主導権確保をかけての争奪戦をくりひろげている。

地球温暖化が原因とみられる巨大台風・豪雨・融氷による海水面上昇・干ばつなどの気候変動とその

ゆえの大災害（森林火災・洪水など）の激増と激甚化。森林消失・砂漠化や大気汚染・水質汚染・土壌汚染そして放射能汚染などのいわゆる地球環境破壊。これらの相乗的な深刻化によって世界中で人民の命が奪われ生活環境の悪化や非居住地化の広がりのゆえに多くの人民が貧窮に叩きこまれている。

こうした事態への危機意識が社会的に高まっているのみならず、いまや気候変動が資本家的経済活動そのものを揺るがしはじめていることを背景として各国政府・独占ブルジョアジーは、地球温暖化対策を自国経済発展のテコたらしめるために、脱炭素化＝再生可能エネルギーの開発・活用による産業構造・事業構造の転換にふみだしている。それは国家の政治的・軍事的・経済的な力を決定する新たなエネルギー源や最先端技術の開発競争であるがゆえに各国の角逐は熾烈化しているのだ。

とりわけ二十一世紀世界の覇権を争うアメリカ帝国主義とネオ・スターリン主義中国とは高度先端技術や石油に替わる新たなエネルギー源（動力源・電源など）をめぐる覇権をかけた競争を激化させている。この米・中の角逐を基軸として、再生可能エネルギーや次世代自動車の開発・市場制覇・サプライチェーン構築などをめぐって――軍事技術とも密接に結びつくＡＩ（人工知能）・高速通信技術の開発やデータの囲い込みともからみあって――各国が対立を深め、温室効果ガスの削減目標や環境規制の国際基準づくりや脱炭素化関連産業の育成をめぐってしのぎを削っているのだ。

各国政府・資本家は、「地球温暖化対策」とか「持続可能な発展」（ＳＤＧｓ〔持続可能な開発目標〕）とかの美名の裏で、原発の大増設によって労働者の被曝と放射性廃棄物の累積を、太陽光発電・蓄電池などに必要なレアメタルの採掘・精錬における新たな環境汚染＝労働者の健康被害を生みだし、石炭・石油関連事業の縮小にともなって多くの労働者を解雇し困窮につきおとしているのだ。そもそも気候変動や環境的自然の破壊とそれによる生活環境の悪化の責任にも、原水爆をはじめとする大量破壊兵器戦争による人民殺戮や現代人の電脳ロボット化という人間的自然の破壊の問題にも頬被りしているのが、各国政府権力者・企業経営者どもなのである。

Ⅲ　原発推進と産業構造転換に突進する菅政権・独占資本家階級

こうした「脱炭素化」をめぐる欧・米・中の技術開発・産業構造転換からたち後れたままでは日本経済・企業は没落するという焦りを募らせているのが、日本帝国主義の菅政権・独占ブルジョアジーなのだ。首相・菅は、起死回生策として昨秋に「デジタル化とグリーン化（脱炭素化）を原動力とした成長戦略」をうちだし、脱炭素化の研究開発とインフラ整備を支援する二兆円の基金を設けた。今サミットにむけても、温室効果ガスの「削減目標」を引き上げた（五月二十六日には温室効果ガス排出量を二〇五〇年までに実質ゼロにする政府目標を明記した改定地球温暖化対策推進法を成立させた）。

だが日本の独占資本家どもは、この「目標」を受け入れると表明しつつも、懸念の声をあげている。彼らは、海外への原発プラント輸出計画がすべて破綻したのにつづいて石炭火力発電プラントの輸出も禁止されようとしていることに追いつめられ反発しつつ、脱炭素化関連事業を新たな収益源とすべく事業転換をはかろうともがいている。しかも独占資本家どもは、欧州諸国が主導して、生産に要した二酸化炭素排出量が多い製品を各国市場から排除する国際的規範がつくられようとしていることに、危機感を募らせている。総発電量に占める火力発電の比率が高い（六九％＝二〇二〇年度）がゆえに生産に必要な電力にともなう二酸化炭素排出量が多い現状のままでは、日本の製造業（自動車など）は国際競争上で不利だと騒ぎたてているのだ。〔総発電量に占める再生可能エネルギーの比率は二二％（同）にすぎない（131頁の図2参照）。こうした電源構成は、歴代自民党政府が原発を主要電源として維持しつづけるために再生可能エネルギー施設の拡大を抑えこみ、需要調整用として火力発電を多用してきた結果だ！〕

　トヨタ自動車社長・豊田章男は自動車工業会会長として、「ガソリン車やディーゼル車を禁止する政策は選択肢を狭め、日本の強み（ハイブリッド車などの複合技術）を失うことになりかねない」と叫んだ（四月二十二日）。すでに再生可能エネルギーと原子力とで発電量の五割を超える国が多い欧州諸国などで、日本企業が圧倒的にシェアを握るハイブリッド車も含めてガソリン車やディーゼル車を禁止する動きが強まっている。このことに危機感を募らせているこの輩は、日本政府にたいして国内では性急にガソリン車を禁止するなと注文するとともに、国際的な規制基準づくりにおいて主導権を発揮することや国内の発電・製鉄などの脱炭素化を促すための財政的な支援を求めたのだ。

　経団連会長（当時）・中西宏明は、温室効果ガス削減の目標達成のためには「安全性が確認された原子力発電所の着実な再稼働や新増設などを実現しなければならない」と言い放った（四月二十二日）。四月十二日に発足した自民党の「脱炭素社会実現と国力維持・向上のための最新型原子力リプレース推進議員連盟」の顧問に前首相・安倍晋三とともに就いた元経済産業相・甘利明も「カーボンニュートラルの達成には原子力はマストだ」と叫びたてた。政府・独占ブルジョアジーは「脱炭素化の国

〔図２〕 電力消費量に占める自然エネルギーの割合（2020年）

国	合計(%)	水力	バイオ	風力	太陽光
ブラジル	85	66	8	10	
スウェーデン	82	53	8	20	
カナダ	76	67		7	
デンマーク	67		15	49	4
ポルトガル	59	26	7	23	3
ドイツ	48	5	9	25	10
スペイン	44	13		21	8
イギリス	43	3	12	24	4
イタリア	38	16	6	6	8
中国	29	18		6	4
フランス	27	14		9	3
オーストラリア	26	6		9	9
インド	23	11	4	4	4
日本	22	9	3		9
アメリカ	20	8		8	3

際公約」を逆手にとり、これを口実として原発の再稼働のみならず新増設や新型炉開発を狙っているのだ。

それとともに菅政権は、平地が少ない日本で利用できる再生可能エネルギーの主力として洋上風力発電や水素・アンモニア利用に力を注ぐことを決定した。これを受けて国内外の企業が、手厚い補助金を政府に求めつつ、この洋上風力発電事業や水素・アンモニア事業への投資を急増させようとしているのだ。

こうして日本政府と自動車・電機などの独占資本家どもは、「デジタル化と脱炭素化をコロナ不況脱却・日本経済復興のチャンスに転じよ」と叫びたてて産業・事業構造転換に突進している。彼らは、新部門を担うために必要な技術・技能・知識の習得を労働者に求め、それができないとみなした労働者や縮小する火力発電部門などの労働者にたいして配転・解雇攻撃をしかけているのだ。

われわれは、「デジタルとグリーン」を掲げた独占資本家・企業経営者による事業再編にともなう労働強化と解雇の攻撃をうち砕くために、全世界のたたかう労働者と連帯して奮闘するのでなければならない。産業構造・事業構造の転換にともなう解雇を「失業なき労働移動」と称して容認し「スキルアップ」を経営者と一体となって組合員に迫る「連合」労働貴族を許すな。デジタル技術や脱炭素化技術の「国民に役立つ」活用を提唱することによって政府・企業の「デジタル化・グリーン化」を尻押しする「全労連」の日共系指導部を弾劾せよ。

こうした闘いとともにわれわれは、現在の気候変動と地球環境破壊を生みだした現代技術文明——大量の石油と原子力発電に依拠し危殆に瀕するそれ——のブルジョア階級的本質を、中国における自然環境破壊のネオ・スターリン主義的本質とともに暴きだし弾劾する運動を階級闘争・労働運動の一環としてくりひろげていこうではないか。

註1　国連のＩＰＣＣ（気候変動にかんする政府間パネル）は二〇一八年に「地球の平均気温を産業革命前比で一・五度に抑え込むためには二〇五〇年までに温室効果ガスの排出を実質ゼロにする必要がある」と提言した。

註2　ＩＥＡ（国際エネルギー機関）がＣＯＰ26にむけて五月十八日に「二〇五〇年までに世界の温暖化ガス排出量を実質ゼロにするための工程表」を公表した。二〇二五年に化石燃料ボイラー新規販売停止、三五年にガソリン車など内燃機関車の新車販売停止、四〇年に世界全体（先進国は三五年まで）で電力部門の二酸化炭素排出を実質ゼロ、五〇年にはエネルギー供給に占める再生可能エネルギーの比率を約七割にする、などが示された。

註3　中国は国内で安価で豊富に産出できる石炭への依存度が高く、一次エネルギーに占める石炭消費の割合は二〇二〇年時点で五七％前後と過半を占める。二〇年も原発三十基相当（約三〇ギガワット）の石炭火力発電所を新設した。

註4　欧州諸国は、非効率的な火力発電所を更新してきた国（とくに旧東欧諸国）や再生可能エネルギーの導入をすすめてきた国が多いことから一九九〇年を温室効果ガス削減目標の基準年としている。これにたいしてアメリカ・カナダは二〇〇五年を、日本は二〇一三年度を基準年としている。各国政府は、削減幅を大きくみせかけるために我田引水的に温室効果ガスの排出量が多かった年を基準年としているのだ。

高速炉開発を阻止せよ！

潜在的核兵器保有能力の維持を企む菅政権

田辺敏男

地球温暖化対策を名分として停止中原発の再稼働に拍車をかけている菅政権は、「準国産エネルギーとしての原子力発電」の特性を活かし「核燃料を有効利用するために不可欠」と称して、核燃料サイクル開発をもおしすすめている。

青森県六ヶ所村の再処理工場において再処理した使用済み核燃料から取り出したプルトニウムをウランと混ぜてＭＯＸ燃料に加工し、これを再び軽水炉で燃やす（プルサーマル）軽水炉サイクル開発をおしすすめている。それだけではない。原型炉「もんじゅ」の廃炉（二〇一六年十二月）を余儀なくされて高速増殖炉開発の破産をつきつけられたにもかかわらず、安倍晋三そして菅義偉とつづく自民党政権は、「資源の有効利用とわが国のエネルギー自立に大きく寄与する」ものであるとおしだしながら、「増殖」の文言だけをはずして「高速炉サイクル」開発をあくまでも推進しようとしているのだ。

日本政府・支配階級が高速炉開発にしがみついているのは、たんに日本帝国主義の「エネルギー安全保障」のためだけではない。この高速炉関連技術こそが、日本の潜在的な核兵器製造能力の維持・強化に不可欠な直接の技術的基盤をなすものにほかならないからである。

本稿ではこうした視点から高速炉開発の現状とその意味を明らかにしていきたい。

破綻した高速炉開発に固執する菅自民党政権

菅政権は二一年度予算案に高速炉の技術開発委託費として四五億円を盛りこんだ。アメリカで開発がすすめられている多目的高速試験炉(VTR)の研究開発に参加するためであり、彼らはこれを今後の日本の高速炉開発の「新たな柱」にするとうちだしている。

「もんじゅ」廃炉決定以後、日本政府は、フランス政府がすすめていた高速実証炉アストリッド建設計画への参画を日本の高速炉研究開発の中心に位置づけてきた。けれども、フランス政府は、ウラン資源は余剰であり採算があわないとして一九年十月にこの開発計画の中止を決定した。そこで菅政権は、アメリカの研究にすがりついて高速炉開発を継続しようと策しているのだ。

それだけではない。日本原子力研究開発機構(国立研究開発法人)は、高速実験炉「常陽」(茨城県大洗町)の再稼働をめざして、原子力規制委員会に再稼働審査を申請中である。「常陽」は原型炉「もんじゅ」建設の前段階の実験炉として位置づけられて建設・運転されてきたが、〇七年に照射試験装置の破損事故を起こして以後停止中であった。この歴史的役割をすでに終えたといえる炉の再稼働を、「もんじゅ」廃炉決定の翌一七年三月に原研機構は大あわてで申請したのだ。ここには、高速炉開発は決して中止しないという政府・支配階級の意志が示されている。

この規制委に提出された審査書の内容たるや、福島第一原発事故以後に多少は厳しくなった「安全基準」をまったく無視したものであった。「常陽」の熱出力は一四万キロワットであるにもかかわらず、一〇万キロワットで運転するので避難計画は半径五キロメートル圏内のものでおしとおそうとしたり（一〇万キロワットを超えると三〇キロメートル圏内の避難計画の作成が義務づけられている）、最悪の事故が発生しても「液体ナトリウムの自然循環」で冷却できる（何も対策をとらないということ）としていたりした。これにたいして、さすがの規制委も審査を拒否し、原研機構に申請の出し直しを要求した。こうして一八年十月に原研機構が、核燃料の構成を変えて一〇万キロワットに改造することなどを盛りこんだ新たな申請書を提出して審査が再開され、つづけられているのである。〔二〇年九月、原研機構は、「安全対策」の工事が間に合わないとして、二二年度中としていた運転再開予定を二四年度以降に延期した。〕

原研機構の高速炉「常陽」（茨城県大洗町）

経済産業省高速炉開発会議は一八年十二月に決定した工程表において、高速炉の「実用化」の時期を「今世紀後半」とした。〇六年の「原子力立国計画」における「五〇年ごろの実用化」からも大きく後退し実用化の目処をたてられないのだ。

こうした状況のもとにおいて、原発推進派のなかからも高速炉開発への疑問の声が噴出している。「無理なものを研究しても予算と優秀な人材を浪費する」（原子力委員会前委員長・岡芳明）と（註1）。

そもそも日本の高速増殖炉開発は一九九五年十二月の「もんじゅ」ナトリウム火災事故によって本質的に破産し、二〇一六年十二月の「もんじゅ」廃炉決定で現実的にも終止符が打たれたといえる。にもかかわらず日本政府・支配階級は、高速炉開発の旗を掲げつづけているのだ。そこには、日本の潜在的な核兵器製造能力を保持しつづけるという意志が貫かれているのである。

軍事用プルトニウム生産炉として意義をもつ「常陽」

再稼働が策されている高速実験炉「常陽」は、発電設備を持たず、もっぱらウランをプルトニウムに変換するための原子炉である。通常の軽水炉の炉心においてもプルトニウムは生産されるが、その使用済み核燃料には種々の同位体が含まれ、原爆の製造に適したプルトニウム239は六〇〜七〇%しか含まれていない。原爆の製造には同位体239を九四%以上含むプルトニウムを生産する必要があるとされる。軽水炉の使用済み核燃料を再処理して原爆をつくることは理論上は可能だが、強いガンマ線を発したり劣化が早かったりして実際には原爆材料たりえない。ところが「常陽」は、同位体239の比率が九八%以上の高性能のプルトニウム爆弾の材料を製造することができるのである。

高速炉の炉心は、中心にMOX燃料（プルトニウムとウランの混合酸化物）が置かれ、その周りを劣化ウラン（ウラン238）でできたブランケットで囲むという構造をなしている。そして、炉心中心部で発生した高速中性子をブランケットのウラン238が吸収してプルトニウム239が生産される。このブランケットを適当な時期に取り出して再処理し、プルトニウムをウランから分離すれば高性能の原爆材料が製造できるのである。

「常陽」は、一九七七年の運転開始から八二年まで（八二年にアメリカ権力者の要求でブランケットを取りはずさせられた）の六年間の性能試験運転期間中に、239の同位体比率が九九・二%のプルトニウムを一九・二キログラム生産した。以後「常陽」は二〇〇七年に事故を起こして停止するまで、銅や鉄などを使った照射実験用として使用されてきた。けれども、再びブランケットを装着すれば軍事用として使えるプルトニウムの生産がいつでも可能なかたちで維持されているのである。

ところで、取りはずしたブランケットは中性子を吸収していないウラン238とプルトニウム239の混合体なので、原爆材料をつくるためには、ブランケットを再処理してプルトニウムを分離しなくてはならない。この高速炉用再処理工場であるRETF(リサイクル機器試験施設)も茨城県東海村の原研機構敷地内で「建設中」である。装置を入れる建屋が二〇〇〇年に完成したが、その後二十年間は工事を中断したまま年間九〇〇〇万円の費用を国家予算から支出して維持されている。原研機構は、「高速炉開発をつづけるかぎりRETFは必要」と称して、工事再開の機会をうかがっている。

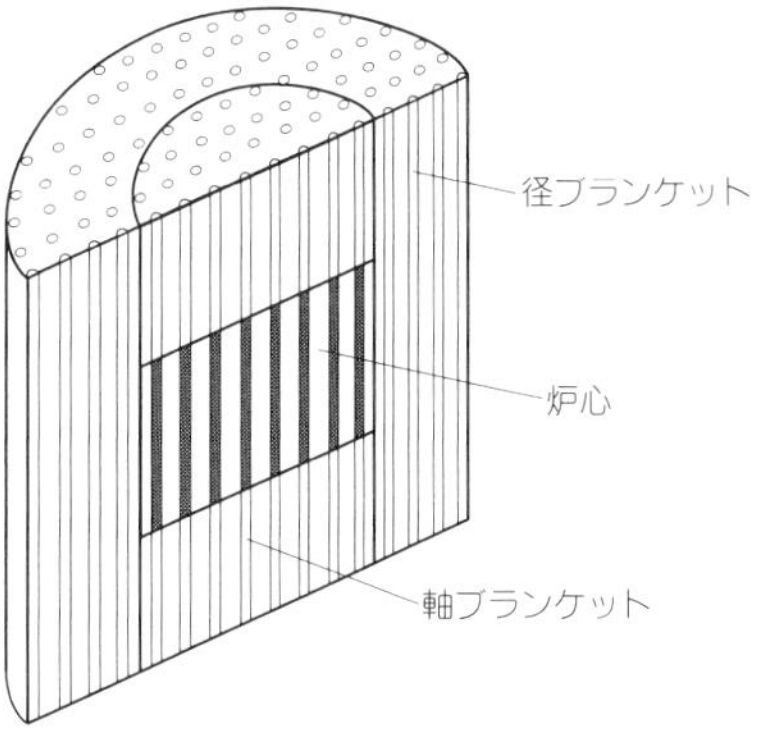

　以上のように、高速炉とこれに関連する核燃料サイクル施設は、高性能の軍事用プルトニウム生産施設としての意義をもっているのである。歴史的にみれば、もともと原爆用プルトニウムの生産のために開発された原子炉を、プルトニウムの生産の過程で発生する大量の熱エネルギーを捨てないで発電にも利用する、というかたちで開発が始まったのが高速増殖炉なのである。

高速炉の炉心とブランケット

　日本の潜在的核兵器製造能力の維持・強化を目論む権力者にとっては、高速炉がいつ電力供給を開始するかとか、採算が合うかどうかとかは二の次である。彼らは、高速炉開発を中軸とした核燃料サイクル開発をつづけることそのものを、「潜在的な核抑止力」(『読売新聞』一一年九月七日付や同年八月の自民党・石破茂の発言)として位置づけているのである。

高速炉開発にかけた政府・支配階級の野望

　菅政権は御用学者どもを動員して、「ウラン資源の有効活用」であるとか「高レベル放射性廃棄物の減容化」(放射能の弱い核種への変換)とかと、高速炉開発の意義を語らせている。けれどもこれは、潜在的な核兵器製造能力の維持・強化という高速炉開発にかけた野望を包みかくすオブラートのようなものでしかない。

いま菅政権は、核超大国への飛躍をめざして核戦力の強化に走る中国や、核ミサイル開発に血道をあげる北朝鮮にたいして、日米軍事同盟を基礎として対峙し、アメリカとともに戦争をやれる軍事強国に日本をおしあげようとしている。この日本の軍事強国化の一環として、いざとなれば核兵器を製造できる国家として日本の国際的地位を固める、その技術的基盤を維持・強化するために、高速炉開発をあくまでも推進しようとしているのが菅政権なのである。

福島第一原子力発電所の大事故発生直後の二〇一二年六月、原子力基本法の一部が改定され、「原子力利用の目的」として「我が国の安全保障に資する」という文言がつけ加えられた。ここに言う「安全保障」が「エネルギー安全保障」にとどまらないことは明白である。民主党政権のもとで日本が「脱原発」に走りかねないことに危機感を昂じさせた自民党の政治エリート・独占ブルジョアジーが、「原子力規制委員会設置法案」の「附則」にもぐりこませるかたちで、みずからの意志を国家意志として明文化したのである(註2)。

すでに見たように、日本の潜在的核兵器製造能力の基礎となっている核心的技術が、高速(増殖)炉を中核とする高速炉サイクル技術にほかならない。高速炉「常陽」は、炉心に軽水炉の四倍の濃縮度のウランを使い、冷却には「もんじゅ」と同様に液体ナトリウム(大気や水に触れたら瞬時に燃えあがる)を使用するきわめて危険な原子炉である。新たな核惨事を招きかねない「常陽」の再稼働を断じて許すな。

すべての原発・核燃料サイクル施設を即時停止し廃棄せよ!

註1 原子力委員会は二〇一四年の原子力規制委員会の設置にともなって改組された。かつては五人の委員からなり、原子力政策の基本方針を策定するだけでなく、経費の見積もりや配分にも絶大な権限を持っていた。これが三人の委員に縮小され、実質的な権限もなく基本的方向性を策定するだけの機関に改組されたのである。原子力委員会前委員長・岡はこんにちの原発推進派の主流ではなく傍流に属するといえる。また福

島原発事故以後、支配階級のなかには、小泉純一郎に人格的に代表される「脱原発」派も生みだされている。

註2　歴史的にふりかえれば——日米安保条約にもとづいて「アメリカの『核の傘』の下」にありながら、日本独自の潜在的な核兵器製造能力を形成する——、これが戦後に日本政府・支配階級が原子力開発に着手した際の基本的な原子力政策であった。アメリカ帝国主義権力者は、敗戦帝国主義日本の権力者に原子力技術を提供することとひきかえに、米日原子力研究協定（その後日米原子力協定に格上げ）をとり結んで、原子力を「平和利用」に限ること、核物質をアメリカの管理下に置くことを約束させた。日本権力者は、こうしたアメリカの統制下で原子力開発をすすめることを余儀なくされてきたのである。

前首相・安倍の祖父・岸信介は自分の『回顧録』（一九八三年刊）において、五八年に首相として東海村の原子力研究所を訪問したときのことをふりかえって言う。「日本は……平和利用一本槍であるが、平和利用にせよその技術が進歩するにつれて、兵器としての可能性は自動的に高まってくる。日本は核兵器は持たないが、潜在的可能性を強めることによって……国際の場における発言力を高めることが出来る」と。

その後七七年に誕生した米民主党カーター政権は核燃料再処理や高速増殖炉開発政策の放棄を日本に迫った。インドが原発の使用済み核燃料からとりだしたプルトニウムを利用して核実験を強行した（七四年）ことに危機感を高めていたからである。これにたいして日本政府は、核燃料サイクル開発を推進していたイギリス・フランス・ドイツと連携して反撃し、国際核燃料サイクル評価会議においてカーター政権の要求を断念させた（八〇年二月）。

カーターにかわってアメリカ大統領に就いた共和党レーガンは、日本の核燃料サイクル開発にたいして〝寛大〟であった。一九八八年の日米原子力協定の改定にあたってレーガン政権は、使用済み核燃料の再処理にかんして、日本の電力会社がアメリカにその都度個別に同意を求め、アメリカがこれを承認するというそれまでの「個別同意」方式を、事前に一括して受けつけ・承認する「包括同意」方式に変更することを容認した。

こうした民主党政権と共和党政権のニュアンスの違いがあるとはいえ、日本の独自核武装を許さず・日本の原子力開発をみずからのコントロール下に置くというアメリカ帝国主義権力者の国家意志は一貫している。このもとで日本帝国主義権力者は、潜在的な核兵器製造能力の形成・向上を一貫して追求してきたのである。

補　二人の労働者の命を奪ったＪＣＯ臨界事故

かつて「常陽」が二人の労働者の命を奪ったことをわれわれは忘れはしない。一九九九年九月、茨城県東海村のウラン燃料再転換加工会社ＪＣＯで日本初の核臨界事故が発生した。「常陽」の核燃料用の中濃度ウラン溶液（濃縮度一八・八％、通常の軽水炉の燃料は四％程度）を扱っていた労働者が、沈殿槽に臨界を超える分量を投入したことによって、原爆の爆心地で受けるほどの中性子線を浴びて死亡させられたのだ。発注者の動燃（現在の原研機構にその後合併）が前例よりも大量の核燃料材料を急いで作らせ、これを請け負ったＪＣＯ経営陣が臨界についての教育もしないままにずさんな作業を労働者に強制したことによって、この事故は発生したのだ。

〔本誌掲載の関連論文〕

- トリチウム・放射能汚染水の海洋放出決定弾劾！（第三一三号）
- 関西電力の老朽原発再稼働を阻止せよ（同）
- 菅政権の「創造的復興」策の反人民性　浜風　通（同）
- 菅政権の被曝被害もみ消しを許すな　韮山　一直（同）
- 3・11東日本大震災・福島原発事故から十年　被災人民見殺し・原発再稼働を許すな（第三一二号）

架空討論

日共・不破＝志位の反マルクス的「未来社会」論

葦野巌

C　はぁ～。

A　どうした、元気ねぇな。

C　労使交渉で組合執行部が当局の回答を呑んで、一発妥結しちまっただろ？　あんな低い「賃上げ」額、組合員にとっちゃ実質賃下げだよ。俺はもっとたたかうべきだと言ったのに……。

B　おぅ、ウチの分会でも非難ゴウゴウだぞ。

C　委員長たちは共産党員だけど、県委員会に〝選挙で保守層の票が逃げる〟と言われてハイハイと従ったんだよ。まったく、どっちに顔を向けてるんだか……。

B　そうだよ。こっちは給料はドンドン減らされてるし、人員不足で仕事はきつくなる一方なのによ。

C　いま苦しんでる労働者の生活も守れずに、なにが「社会主義の展望をおおいに語ろう」だよ！

A　ああ。だけど、おまえさんも党員じゃないの？

C　そうだよ。でも、もう党費も納めない、支部会議にも出ないと決めたんだ。労働運動は議題にもされないし、『赤旗』増やせ、党員増やせばっかりだ。「党綱領の魅力」なんて言われてロクに読まずに入党したけど、「社会主義」なんて夢だったのかなぁ……。

B　待てよ。そりゃアンタの党の指導部が言う「社会主義の展望」とやらがインチキだからじゃないか？

C　どういうこと？

A　今度ゆっくり話そう。

「資本主義の高度な発展」をそっくりひきつぐ「未来社会」⁉

〔……次の日曜日……〕

A　これを見てくれよ。

C　ああ、新しい党綱領と、そっちが志位さん（日本共産党委員長）の「改定綱領学習講座」（『改定綱領が開いた「新たな視野」』新日本出版社）だね。

B　へぇ、ずいぶん難しいものを読んでるんだな。

C　ンなわけないよ。地区委員長が支部会議で「改定綱領講座」のＤＶＤを流すだろ、俺たちが居眠りしてるうちに時間がくるだろ、それで「ハイ、全員読了」ってシステムさ。

A　ハハ。じゃあちょっと中身を見ていこう。
去年の党大会で、共産党の指導部は「中国は社会主義ではなかった」と中国の評価を一変させた。そして、ソ連や中国の「社会主義」建設が失敗したのは「資本主義の発達が遅れた国からの出発」だったからだ、「発達した資本主義国における社会変革」こそ「社会主義・共産主義への大道」だ、と言いだしたよな。

B　ホ〜、これが「新綱領」か。ナニナニ、「発達した資本主義国での社会主義的変革」は、「生産手段の社会化を土台に」して、①「資本主義のもとでつくりだされた高度な生産力」、②「経済を社会的に規制・管理するしくみ」、③「国民の生活と権利を守るルール」、④「自由と民主主義の諸制度と国民の闘いの歴史的経験」、⑤「人間の豊かな個性」という「五つの要素」を「継承し発展させることによって」実現される、なんて書いてあるね。

A　〝日本という先進資本主義国はこんなに「社会主義」に近いのデス〟ってわけだ。彼らは、この資本制社会をどうやってひっくり返すかと問題をたてない。「市場経済を通じて社会主義に進む」ことが「日本の条件にかなった社会主義の法則的な発展方向」だ、とまず断言する。そしてこの「発展方向」に見合うような、「未来社会に進むさまざまな客観的条件、および主体的条件」を、あったがままの日本資本主義社会のなかに探し求める。そうして探しだしたものを、「資本主義が達成した成果」と美化し、それらを「継承・発展させる」ことが「社会主義的変革」だと称する。

B　「資本主義の成果」の舟に乗って流れに棹させば、「社会主義」に流れ着くってか。ずいぶんラクチンな「社会変革」だな。

A　すると、彼らのオツム、「社会主義」の理念も、〝国家独占資本主義の改良〟と言うべきものに、そっくり入れ替わっちまうよな。

C　……よくわかんねぇな。順番に話してくれよ。

資本の生産力の美化

B　賛成。まずはAさん、志位さんが「資本主義は、未曽有の社会的生産諸力を発展させ、未来社会の土台となりうる物質的諸条件を発展させる」と言ってるけど、ここはどうなの？

A　資本の生産力を手放しで賛美しているよな。職場に導入されてるAIを考えてみたらどうかな？

C　そういえば、俺が組合の会議で、AI導入に反対しようと言ったら、委員長のヤツ、「単純作業がAI化されれば、そのぶん住民サービスに専念できる。AI化に反対するな！」と言って俺の意見をつぶしたな。いざAIが導入されたら、そのぶん定員が減らされて、残った俺たちの仕事はきつくなるばかりだ。

A　そうだ。黒田寛一さんの『賃金論入門』という本のここを読んでみなよ。

「スターリン主義者は『社会の生産力』と表現することにより同時に生産力を超歴史的にとらえているのであるが、これは誤りである。

資本の直接的生産過程において成立する種々の生産力は、つねに必ず『資本の生産力』としてあらわれる。」(こぶし書房刊、一一五頁)

「技術化された生産諸手段とこれに対応して技術化され省力化された統合労働体とのむすびつきは、資本の技術的構成の高度化とよばれる。……この高度化によって資本の生産力はより一層向上することになる。

このような資本構成の高度化の反面は、資本の生産過程からの諸労働者の放逐であり、相対的過剰人口の創出である。」(一一九頁)

C　難しいけど、実感としてわかる気がするよ。それにしても、ウチの党はまるで「スターリン主義者」と同じことを言ってんだな。

A　そりゃ、スターリン主義者の党だからな。

C　えぇっ！　そうなの!?

B　なんだ、知らなかったのか。ハハハ。

A　マルクスは『共産党宣言』でこう言っているよな。

「巨大な生産手段や交通手段を魔法で呼び出した近代ブルジョア社会は、自分が呼び出した地下の悪魔をもう使いこなせなくなった魔法使いに似ている」「ブルジョア階級はみずからに死をもたらす武器を鍛えたばかりではない。彼らはまた、この武器を使う人々をも作り出した——近代的労働者、プロレタリアを」と。

B　マルクスはすげえな！　まるでいまの俺たちのことを言ってるみたいだ。

A　うん。志位は、ここに貫かれたマルクスの実践的立場と無関係に、あたかもマルクスが、資本の生産力が発展することの延長線上に「未来社会」がひらかれると主張していたかのように言う。デッチあげもいいところだ。

資本主義国・日本のなかに「発達した資本主義の成果」を探し求めるスケベ野郎が狂ったアタマで、

『資本論』の「より高度な社会形態の唯一の現実的土台となりうる物質的生産諸条件」（第一部第七篇第二十二章）という叙述を読みこむから、そうなるんだ。

銀行制度は「社会主義的変革」の「テコ」⁉

A　万事この調子だ。

第二の「要素」では、資本主義の信用制度・銀行制度も未来社会に継承すべきだという。だが、銀行制度や信用制度は、資本家が、資本の回転を速めたり、資本の大規模な集積を容易にするために生みだしたものだ。この本質ときりはなして「記帳」という銀行のひとつの機能をとりだし、〝未来社会でも使える〟なんていうのは、パーだ。

プロレタリア革命によって生産諸手段をプロレタリアート独裁国家のもとに集中することを基礎としないかぎり、「記帳」機能が「結合労働の生産様式への移行の梃子」になるなんてことはありえない。志位は、マルクスが当然の前提としたこのプロレタリア革命という結節点を、意図的に曖昧にしてるんだ。革命そのものを否定するためにね。

B　でも、たしか志位さんは、「生産手段の社会化という大きな変革」が必要だとつけ加えていたよね。

A　誰かさんの批判が怖くてつけ加えた逃げ口上さ。党の綱領を見てごらんよ。「生産手段の社会化は、その所有・管理・運営が、情勢と条件によって多様な形態をとりうる」とあるね。生産手段の私的所有を廃絶し・資本制的生産関係を変革するという核心をぼかしているんだ。そのために、「管理・運営」という言葉が加えてある。「多様な形態をとりうる」と念までおしてね。いまに、「従業員持ち株制度」も「生産手段の社会化」の一形態だ、と言いだすよ。

B　なにそれ⁉

C　小難しい講演だと思ってたけど、いろいろゴマカシがあるみたいだなぁ……。

資本主義の下での労働者の「全面的発達」⁉

A　三番目の、「国民の生活と権利を守るルール」をひきつぐというのもデタラメだ。労働者階級が血を流して「工場立法」をたたかいとってきたことを、資本主義の「まともな発展」なんて美化している。

B　そりゃあ労働者階級の闘いが偉大なんであって、資本主義が「まとも」なわけがない。だいたいソ連が崩壊したら、資本家は「ルール」なんて無視して、やりたい放題じゃないか。

A　しかも、不破（日本共産党社会科学研究所長）に言わせると、工場法の普及によって大規模な「結合された労働過程」が生みだされると、労働者は「全体労働者に成長」し、「社会を動かす主体的な力として発揮される潜在力」を身につけるんだとさ（『マルクス「資本論」―発掘・追跡・探究』新日本出版社刊、二三八頁ほか）。

B　なにぃ⁉　労働者が疎外労働にはげめば、将来社会の担い手になるだと？　聞き捨てならんぞ！

C　ウチの委員長がいつも「仕事で勝負」って言うのも、そのせいかな？

B　そりゃおおいに関係してるだろうな。

A　彼らのインチキな公務労働論もかかわってくるが、別の機会にしよう。

それはともかく、マルクスは『資本論』第十三章第九節で、「大工業は……一つの社会的な細部機能の単なる担い手にすぎない部分個人の代わりに、さまざまな社会的機能をかわるがわる行なうような活動様式をもった、全体的に発達した個人をもってくることを、死活の問題とする」と述べている。マルクスはここで、不破が言うような「普遍的人間」を論じているわけじゃない。今風に言うと、労働者がいわゆる多能工（いくつかの職種を同時にこなすことができる労働力）化させられることを言ってるんだ。

そもそもマルクスは怒りに満ちて書いてるじゃな

いか。資本の生産過程において、労働者の生きた労働は資本の定有として、資本の力によって機械化された生産諸手段に統合され、労働者は「ひとつの部分機械の自己意識ある付属物」にされちまう、と。

B　たしかに労働者は機械の付属物にされる。ウチの工場がまさにそうだよ。

A　労働者がみずからを階級的に組織化し、生産諸手段をブルジョアから奪還することによってはじめて、労働者は社会的生産の主体となり、その能力を全面的に発達させせるんだよ。

C　なるほど、そう考えるとワクワクするな。

労働者にとって「自由と民主主義」とは

B　四番目の「自由と民主主義の諸制度」を「継承」するというのはどうだい？

C　ここは志位さんの言うとおりだと思うな。

A　C君は、自分がいま自由で平等な社会に生きていると実感してるのかい？

C　そりゃいまは「平等」と言ったって貧富の格差はひらく一方だし、「言論の自由」と言っても、マスコミは全部政府が統制してたりするよ。でも、封建時代から資本主義の時代になって民主主義が拡大してきた歴史があると思う。いまはまだ俺たちに十分その恩恵はおよんでないけど……。

B　おまえさんはそう考えるわけか。俺は「自由と平等」なんて信じねぇよ。

A　なぁC君、いま俺たちが生きている資本制社会における「自由・平等」の本質って何だろうな？

C　本質？　なにそれ？

A　＜パンデミック恐慌＞のもとで資本家どもは〝労働力が余った〟とほざいて容赦なく労働者の首を斬ってるよな。モノ扱いされてる俺たち労働者は、「人間づらしているけど人間扱いされていない」存在だ。ところが、俺たちは「個人」としては「自由」で「平等」だとされている。いったいこれはどういうことだ？

C　う～ん……。

A　『覺圓　現実を読む』っておもしろい本があるよ。

「前提としての商品市場における、一般的には資本主義社会の直接的現実性における商品所有者たちの自由・平等の関係――これは等価交換の関係のイデオロギー的表現形態にすぎません。――、この関係が実はシャイン仮象にすぎないゆえんを体系的に明らかにしたのが『資本論』第一巻である、ということが故意に無視されている、と思うのであります。たえざる生産の実現をつうじて、商品等価の関係が、実は、直接的生産過程における資本関係の社会的表現にすぎず階級的敵対関係なのだ、ということが暴露されるからなのです。」（こぶし書房刊、三〇一～三〇二頁）

B　うん、モノ扱いされている俺たちにとって「自由」「平等」とは何かを考えろってことか……。

マルクス「依存関係」論のデタラメな解釈

A　その問題は、第五の「人間の豊かな個性などの成果の継承」とつながるんだ。

C　えっ、どういうこと？　あたりまえのことを言っているんじゃないの？

A　そうじゃないんだよ。志位はここで、マルクスが『経済学批判要綱』「貨幣に関する章」に記した、＜①「人格的依存関係」、②「物的依存性のうえにきずかれた人格的独立性」、③「諸個人の普遍的な発展のうえに、また諸個人の社会的力能として彼らの共同体的・社会的な生産性を従属させることのうえにきずかれた自由な個性」＞という叙述を引用しているね。

マルクスはここで、資本制的生産関係の独自性を、「物的依存性の上にきずかれた人格的独立性」と特徴づけた。「物的依存性」とは「商品＝貨幣流通」または「商品経済」のことだ。これは黒田寛一さんの『変革の哲学』(こぶし書房刊、一二五頁)に教わったことだよ。

資本制社会で生産手段からきりはなされた賃労働者は、労働力商品の販売者として「モノ」の位置につきおとされる。そうすることによってはじめて、封建制社会ではそれじたいが生産関係と一体のものであった身分的諸関係（「人格的依存関係」）から解放される。このパラドクスをマルクスは先のように表現したんだ。だから同時にマルクスは、そこにおける「人格的独立性」とは孤立的・利己的人間のそれであって、個人の社会的活動は「たがいに無関心な個人の衝突から生じる諸関係のもとへの個人の従属化としてあらわれる」とも言ってるんだよ。

ところが志位はここを、「資本主義社会の時代を通じて」「社会主義・共産主義社会の構成員になる、人格的に独立し、豊かな個性をもった自由な人間自体が……準備される」必然性を述べた叙述であるかのように言う。あとは、わずかばかりそれを制約している「物的依存性」=「搾取関係」をはぎ取ればOK、とね。これはデタラメだ。

B　マルクスと真逆のことを言ってるんだな。

A　マルクスの「三段階」の叙述は、志位の言うように「人間の個性の発展」を「三つの段階に概括したもの」じゃない。黒田さんが言うように、「あくまでも商品経済の物化構造を軸としながら、非商品経済の社会関係の特質と商品経済的生産関係の独自性とを歴史的観点にたって対比した展開」（前掲書一三二頁）としてとらえるべきなんだ。

B　そうか、マルクスは、〝俺たちの生きている社会がいかに逆立ちした社会なのか〟をうきぼりにするために言っているんだな。

C　「人格的独立」ってイイじゃん、と思ってたけど、マルクスはもっと深いことを言ってるんだね……。

A　そうだよ。志位の言う「人間の豊かな個性」とは、資本制社会の孤立的個人をモデルにしたものでしかない。「人間の個性」と言っても、ブルジョア社会の一員としての孤立的個人のそれと、生産手段の共有を基礎とした共同体の一員としての個人のそれとは、本質的に違う。なのに志位は、階級性や歴史性と無縁な「人間の個性」がズンドウに発展する歴史を想定して、これをマルクスの叙述に投射している。人間を社会的生産関係の担い手=実体としてとらえる唯物論的人間論のイロハを投げすててるんだ。これは唯物史観の完全な否定だよ。

B　「マルクス」の名でマルクスを否定するとはな！

C　ん～、利己的な個人がそのまま未来社会の人間になる、なんてヘンだよな……。

A　マルクスの叙述は、俺たちのバネにこそすべきものなんだ。黒田さんは『変革の哲学』で言っているよ。

「〔この『三段階』図式は〕近代ブルジョア社会において物化しているプロレタリアが、おのれの存在はいかなるものであり、そしておのれはいかなる存在になるべきか、ということを問いかける場合、物化され疎外されているおのれから脱却すべき方向と方途と形態を自覚する、そのような自覚の論理的内容の∧正—反—合∨図式として理解されるかぎり、若干役にたつ」（一三三〜一三四頁）とね。

プロレタリアートの階級的団結の創造へ！

C　なるほどね。……でも、もう頭がパンパンだよ……。

A　いや、すまん。ちょっとしゃべりすぎたかな。

B　「ちょっと」かよ!?

C　だけど、共産党の指導部が、いまの資本制社会をどんなに肯定的に見てるのかわかってきたよ。それで、マルクスの言うような革命を否定しているんだね。

俺たちはあくまでも∧労働者は何であり・何であるべきか∨を拠点にして考えなきゃならないね。

B　なぁC君、資本主義の「墓掘り人」って誰だ？

C　そりゃもちろん、俺たち労働者だ！

A　そうだ。労働者の自覚を阻害しているのが、いまの日本共産党の指導部だ。

C　俺たちを「野党と市民の共闘」の「敷き布団」扱いするヤツらの本性が見えてきたぞ！

B　ホントの「墓掘り人」になるためには、俺たちももっと勉強しないとな。

C　うん！『赤旗日曜版』の押し売りなんかもうヤメだ！　俺は紹介してもらったマルクスや黒田さんの本を勉強するよ。

国際・国内の階級情勢と革命的左翼の闘いの記録（二〇二一年四月〜五月）

国際情勢

4・1 「OPECプラス」がオンライン閣僚協議で協調減産を5月から段階的に縮小と合意

4・10 中国でアリババ集団が独禁法違反で182億元罰金

4・11 イラン政府がナタンツの原子力施設にサイバーテロと発表。「イスラエルが関与」と非難（12日）

4・12 米比合同演習「バリカタン」が始まる（〜23日）

▽中国軍機25機が台湾の防空識別圏に侵入、過去最多

4・14 **米大統領バイデンがアフガニスタン駐留米軍の9月までの撤収を表明、NATOが5月1日までに駐留軍撤収開始を合意。駐留米軍が撤退開始**（29日）

4・15 米が政府機関へのサイバー攻撃や20年の大統領選挙での工作を理由にロシアへの制裁措置を発表。ロシアが露駐在の米外交官10人の追放と元高官ら8人を制裁リストに追加する対抗措置（16日）

▽**気候変動問題担当の米大統領特使ケリーが訪中。中国の気候問題担当特使らと「連携」を確認**（〜16日）

4・16 独・仏・中の首脳が気候変動問題で協力確認

▽キューバで第8回共産党大会を開催、ラウル・カストロが第1書記退任。後任に大統領ディアスカネルを選出、「革命の継続」を謳う（19日）

4・19 **EUがオンライン外相理事会でインド太平洋地域への積極的関与の「戦略」の大枠を策定**

4・20 独キリスト教民主同盟党首ラシェットを連邦議会選のキリスト教社会同盟との統一首相候補に決定

▽露軍が択捉島で高性能対空ミサイルを使用し訓練

国内情勢

4・1 政府が大阪・兵庫・宮城に「蔓延防止等重点措置」の初適用を決定。5日から実施

4・2 衆議院内閣委員会でデジタル庁関連5法案を可決。衆院本会議で可決（6日）

4・8 政府が外資規制違反のフジ・メディアHDの放送事業認定を取り消さないと決定

▽「コロナ禍で失職が累計10万人を超える」と厚生労働省が発表

4・9 政府が東京・京都・沖縄に「蔓延防止措置」適用を決定。12日から実施

4・13 **政府が福島第一原発のトリチウム・放射能汚染水の海洋放出決定を強行**

▽初の日独2＋2をオンラインで開催。インド太平洋地域での共同訓練を確認

4・14 原子力規制委員会が東電に柏崎刈羽原発の核燃料の移動などを禁じる是正措置を命令

▽東芝が、社長兼最高経営責任者・車谷暢昭の辞任と会長・綱川智の後任就任発表。英投資ファンドCVCが東芝買収取りやめを通告（18日）

4・15 衆院憲法審査会で国民投票法改定案の質疑を開始。22日に第2回目審査会開催、立憲民主・共産両党の反対でこの日の採決は見送り、与党は5月6日の採決を提案

4・16 **首相・菅義偉が訪米し初の日米首脳会談、「共同声明」で「台湾海峡の平和と安定**

革命的左翼の闘い

4・16 **全学連の首都圏のたたかう学生が日米首脳会談反対闘争に決起**（東京）。「対中攻守同盟反対！」「敵基地先制攻撃体制構築阻止！」の横断幕を掲げ首相官邸とアメリカ大使館に怒りのシュプレヒコール

▽全学連北海道地方共闘会議と反戦青年委員会が日米首脳会談反対の抗議闘争（札幌市）。米総領事館と自民党道連に弾劾の嵐

▽沖縄県学連のたたかう学生が日米首脳会談反対の対アメリカ総領事館闘争に起つ（浦添市）

▽奈良女子大学学生自治会と神戸大生の会が日米首脳会談反対の自民党大阪府連前闘争（大阪市）

4・24 沖縄県反戦の労働者が「辺野古、大浦湾、埋め立て許さない」集会（名護市）に決起。対中攻守同盟の強化を画した日米首脳会談の反動性を暴き労働者・市民とともにたたかう

4・29 わが同盟が「連合鹿児島」の県中央メーデー（鹿児島市）と県北薩地区メーデーで情宣。「馬毛島へのFCLP移転反対」を訴える

4・21 プーチンが年次教書演説で対米強硬姿勢を示す
▽オーストラリア政府がビクトリア州と中国が結んだ「一帯一路」協定を破棄
▽パキスタン駐在の中国大使の車にしかけられた爆弾が爆発、パキスタン・タリバン運動が実行声明
4・22 **米政府主導の気候変動問題にかんするオンラインでの首脳会議開催**（〜23日）。40の国・地域が参加、バイデンが30年に温室効果ガス50〜52％減（05年比）など新目標を示す、中・露・印は新目標を出さず
4・23 プーチン政権がウクライナとの国境地帯に派遣していた軍部隊約15万人の撤収を開始
4・24 ＡＳＥＡＮがジャカルタで対面の特別首脳会議、ミャンマー国軍司令官ミンアウンフラインが出席、各国が武力弾圧停止を要求、フラインは実質拒否
4・26 イギリス政府がクイーン・エリザベス空母打撃群をインド太平洋地域に5〜12月派遣、今年後半に日本にも寄港と発表。5月22日に出港
4・28 **バイデンが就任後初の施政方針演説、「21世紀をかちぬくため中国や他の国と競争している」と表明**
▽バイデンが4兆ドル規模の「雇用計画」「家族計画」と大企業・富裕層への10年で1・5兆ドルの増税を提示
▽プーチンがインド首相モディと電話会談、露製ワクチンのインドでの製造、2＋2新設を合意
▽豪首相モリソンが「台湾有事」に言及し米海兵隊が巡回駐留する国内4軍事施設の増強を発表
4・29 中国全人代常務委が外国船の「領海侵入」に罰金を科すことができる「改定海上交通安全法」を可決
▽中国が宇宙ステーションの基幹施設「天和」打ち上げ
4・30 パレスチナ自治政府アッバスが評議会選を延期

の重要性」を強調
4・20 警視庁公安部が中国在住の中国共産党員をＪＡＸＡなどへのサイバー攻撃容疑で東京地検に書類送検
4・22 気候変動サミットで日本政府が温室効果ガスの排出量を30年度に46％削減する（13年度比）との新目標を表明
4・23 **政府が東京・大阪・京都・兵庫に3度目の緊急事態宣言発令を決定。25日から実施**
4・25 **衆院北海道・参院長野の補欠選挙と参院広島の再選挙で自民党が全敗**
4・26 新型コロナウイルス感染症による国内の死者が1万人を超える
4・27 外務省が21年版外交青書を発表。「中国は安全保障上の強い懸念」と表記
4・28 ＲＣＥＰ（地域包括的経済連携）協定が参院本会議で承認、年内に発効見通し
▽福井県知事が運転開始40年超の老朽原発3基（高浜1・2号機、美浜3号機）の再稼働に同意
4・30 外相・茂木敏充がスロベニアやボスニア・ヘルツェゴビナなど中・東欧6ヵ国訪問へ
▽20年度の平均有効求人倍率が1・1倍、昨年度を0・45ポイント下回り46年ぶりの下げ幅
5・3 首相・菅が改憲派の集会にビデオメッセージを寄せ「緊急事態条項は極めて重く大切な課題」と強調
▽前首相・安倍晋三が菅の首相再選支持を表明
5・6 **衆院憲法審査会で国民投票法改定案を可**

4・30 **全学連が緊急事態宣言下の厳戒態勢を突き破り反安保・改憲阻止の対国会・首相官邸・アメリカ大使館闘争に起つ**（東京）。一切の闘いを選挙宣伝に解消する日共の闘争放棄を弾劾。白ヘル部隊が首都を席巻
▽福岡中央地区反戦青年委員会が「対中攻守同盟強化反対！」を掲げ米領事館と自民党福岡県連への抗議闘争（福岡市）。「霧島演習場での日米仏合同演習阻止」の戦闘宣言
5・1 「愛労連」メーデー（名古屋市）で革命的・戦闘的労働者が奮闘。わが同盟が「菅政権打倒」の檄
5・3 「首都圏学生ネット」のたたかう学生が国会正門前の「憲法大行動」（実行委員会主催）に決起。「改憲のための国民投票法の改定阻止！」の拳を国会に叩きつける。「反安保」を完全放棄した日共系反対運動をのりこえ「改憲阻止・反安保・反ファシズム」の旗高くたたかう
▽金沢大学共通教育学生自治会が「5・3護憲集会」（金沢市）に結集、デモ。安保同盟強化と改憲に突進する菅政権への怒りに燃え奮闘
5・6 全学連のたたかう学生が国民投票法改定阻止の国会前闘争に決起。憲法

5・3 G7外相会合開幕（ロンドン、～5日）、共同声明に「台湾海峡の平和と安定の重要性」を明記

5・6 香港裁判所が「民主派」黄之鋒ら4人に実刑判決

5・8 アフガニスタン首都カーブルで女子生徒を狙った爆弾が爆発、生徒ら85人死亡。タリバンは関与否定

5・10 **エルサレムのイスラム聖地でパレスチナ人をイスラエル治安部隊が狂乱的弾圧、イスラエル軍がガザ地区を猛空爆。ハマスがロケット弾で反撃。** バイデンがネタニヤフに「揺るぎない支持」と伝える（12日）。イスラエル軍地上部隊がガザ攻撃を開始、ヨルダン川西岸でのパレスチナ人デモ隊にイスラエル軍が発砲し11人死亡（14日）。イスラエル軍が報道機関の入居するガザのビルを空爆で破壊（15日）

▽米最大級石油パイプライン停止（7日～）問題でFBIが露系ハッカー集団「ダークサイド」の犯行と断定

5・15 中国が探査機「天問1号」の火星着陸を発表

5・16 ガザ空爆をめぐる国連安保理事会で中国外相・王毅が「停戦」要請決議を拒否するアメリカを非難。バイデンがネタニヤフにたいしてエジプト仲介の「停戦」案を「支持」と表明（17日）

▽チリで新憲法を起草する制憲議会選挙、大統領ピニェラの与党が人民の怒りを浴びて惨敗

5・19 北極圏8ヵ国の「北極評議会」閣僚会議がアイスランドで開催（～20日）、環境・経済開発を協議

▽米露外相が対面会談（アイスランド）。米国務省が露―独の天然ガスパイプライン「ノルドストリーム2」建設への米政府の制裁発動の一部猶予を発表

▽プーチンと習近平がロシアの提供で中国に建設される原子炉4基の着工式にオンラインで出席

決。自民党が立憲民主党の修正案を丸呑み。11日、衆院本会議で可決、参院に送付

▽森友疑獄訴訟で国側が「赤木ファイル」の存在を初めて認める

5・7 政府が4都府県に出している緊急事態宣言（11日まで）の5月末までの延長を決定。12日から愛知・福岡両県も追加

5・10 経団連会長・中西宏明が辞任し後任に住友化学会長・十倉雅和が就任と経団連が発表

5・11 **九州霧島演習場や長崎県・相浦で陸上自衛隊・米海兵隊・仏陸軍が共同訓練**（～17日）

▽**衆院本会議で「土地利用規制法案」が審議入り。衆院内閣委員会で採決を強行・可決**（28日）

▽後期高齢者医療費窓口負担2倍化法案が衆院本会議で可決

5・12 **デジタル庁関連法案が参院本会議で可決・成立**

▽関西電力が老朽原発・美浜3号機を6月下旬に再稼働すると発表

5・13 政府が自衛隊のサイバー関連部隊の増強など「次期サイバーセキュリティー戦略」の骨子をまとめる

5・14 **政府が感染症対策本部で緊急事態宣言の北海道・岡山・広島への発令**（16日から31日まで）**を決定、計9都道府県に拡大。群馬・広島など5県を蔓延防止措置の対象として追加するだけの案を専門家から「手ぬるい」と批判されて**

▽海自と米仏豪海軍が東シナ海で共同訓練開始

審査会での採決を阻止するために衆議院第二議員会館前で抗議行動。「議員会館前行動」（総がかり行動主催）に結集した労働者・市民と連帯したたかう

▽全学連道共闘と反戦青年委員会が国民投票法改定案採決阻止の自民党道連前闘争に決起（札幌市）

5・11 奈良女子大自治会と神戸大生の会が国民投票法改定案の衆院本会議採決阻止の緊急闘争（大阪市）。自民党大阪府連に怒りの拳

▽金沢大共通教育自治会が国民投票法改定案採決阻止の自民党石川県連前抗議闘争（金沢市）

5・12 **全学連がデジタル庁関連法案の参議院採決阻止の国会前闘争に決起**。国会審議に応じた日共中央の犯罪的対応を弾劾し「人民総監視態勢の構築反対！」「NSC専制体制の強化反対！」「反ファシズム」の旗幟鮮明にたたかう

5・15 沖縄県学連が「辺野古新基地建設阻止！ 中距離ミサイル配備阻止！ 先制攻撃体制づくり反対」の辺野古現地闘争（名護市）。東シナ海での日米豪仏合同演習をも弾劾しキャンプ・シュワブ第一ゲートに向けてデモ。「5・15アピール行動」（平和運動センター主催、北中城村石平）に結集した労組員と連帯してたたかう

5・20　ハマスとイスラエルが無条件・無期限の戦闘停止を合意。停戦をエジプトが仲介。ガザの死者250人に
▽**EU欧州議会が中国との投資協定（昨20年末合意）の批准手続きの凍結を決定**
▽OECDの会議で米がIT大手など多国籍企業への課税、世界共通の法人税最低税率15％以上を提案、各国が支持
5・21　G7気候・環境相オンライン会議（20日〜）、国外の石炭火力発電への公的支援の「原則廃止」を合意
▽**米韓首脳会談（米ホワイトハウス）で朝鮮半島の非核化や台湾海峡の安定維持を謳う共同声明**
5・23　ベラルーシ・ルカシェンコ政権が領空通過中の民間機を強制着陸させ反政府活動家プロタセビッチを拘束。EUがベラルーシに追加制裁を決定（24日）
5・24　リトアニアが中国と中・東欧など17＋1の協力枠組みから離脱し他国にも離脱を呼びかけ
▽WHO総会がオンラインで開幕（〜6月1日）、中国の反対で台湾は不参加
5・25　米国務長官がラマラでアッバスに緊急支援550万ドル拠出とエルサレムの米総領事館再開を表明
▽米ワシントン市特別区当局がアマゾン・ドット・コムを独禁法違反容疑で提訴
5・28　バイデンが22会計年度予算教書を議会に提出、環境インフラなど過去最大の6兆110億ドルの歳出
▽米の22会計年度国防予算案7150億ドルを公表
5・29　中国外相・王毅がセルビア、ポーランドの外相と会談しEU・中国投資協定の批准をうながす
5・31　中国共産党が3人目の出産を認める方針を示す

5・16　21年度版『防衛白書』の原案で「台湾情勢の安定はわが国の安全保障や国際社会の安定にとって重要」と明記
5・18　政府・自民党が出入国管理・難民認定法改定案の今国会成立を断念
▽内閣府が20年度の実質国内総生産速報値を発表、前年度比4・6％減で戦後最悪。21年1〜3月期は前期比1・3％減（年率5・1％減）
5・19　経営統合を選んだ地銀に補助金を交付する改定金融機能強化法案が参院で可決・成立
5・23　菅内閣の支持率が31％、不支持率が59％に（『毎日新聞』の調査・報道）
5・24　緊急事態宣言を「屁みたいなもの」と表現した内閣官房参与・高橋洋一が辞任
▽自衛隊による新型コロナウイルス・ワクチンの大規模接種が東京と大阪で始まる
5・28　政府が9都道府県の緊急事態宣言と5県の蔓延防止措置の適用期限を6月20日まで延長することを決定
▽自民党が「LGBT理解増進法案」の今国会提出見送りを決定。〝保守派〟の反対で
▽総務省発表の4月の完全失業率が2・8％、6ヵ月ぶりの悪化
▽旅行会社JTBの3月期連結決算が最終損益1051億円の赤字で過去最大
5・29　全国知事会が政府にインド型変異株封じ込め対策の強化を緊急提言
5・31　自民党が「こども庁」創設提言の決議案

▽鹿児島大学共通教育学生自治会が日米仏合同演習阻止の霧島現地闘争（宮崎県えびの市）。国内初の仏軍参加の演習が対中戦争にそなえたものであることを弾劾したたかう。鹿児島中央駅前で情宣
5・19　**全学連がネタニヤフ政権のガザ軍事攻撃・パレスチナ人民虐殺を弾劾しイスラエル大使館に断固たる抗議闘争。**「イスラエルを庇護するバイデン政権弾劾！」「米中冷戦下の戦乱勃発の危機を突き破るぞ！」とシュプレヒコール
〔黒田寛一著作集・第三巻『プロレタリア的人間の論理』をKK書房から5月に刊行〕

『新世紀』バックナンバー

No.313 2021年7月	No.312 2021年5月	No.311 2021年3月	No.310 2021年1月
パンデミック下の解雇・賃下げ攻撃 【労使協議への春闘の解消／「全労連」中央批判／NTT／JCM／電機／私鉄／出版／郵政／トヨタ新「職能給」／日鉄一万人削減】／対中攻守同盟強化／戦争勃発の危機を突き破れ／腐朽を極める世界経済／トリチウム海洋放出弾劾	**人民見殺しの菅政権を打ち倒せ** 反戦・反改憲・反ファシズムの闘いを／バイデンの没落帝国主義再建策／中共五中全会／2・14労働者集会基調報告／経団連の搾取強化戦略／「連合」二一春闘方針批判／3・11福島原発事故から10年／「政権交代」を夢想する日共官僚	**革命の新時代を切り拓け** 反戦反ファシズムの炎を／革共同第三次分裂の最終決着／革共同政治集会／日米の対中攻守同盟強化／21春闘の戦闘的高揚を／「連合」春闘方針の批判／人事院勧告弾劾／ドコモ子会社化／教育労働者に超長時間労働／郵政年末始繁忙	**菅政権の反動攻撃を打ち砕け** 先制攻撃体制構築と改憲を打ち砕け／「日本学術会議」会員の任命拒否弾劾／米大統領選／「ワクチン開発」の裏での生物兵器開発／菅政権の原発・核開発／代々木官僚の政権ありつきパラノイア／郵便集配合理化反対／不破「恐慌論」

新 世 紀　第314号（隔月刊）

日本革命的共産主義者同盟 革命的マルクス主義派 機関誌©

発行日　2021年 8 月 10 日

発行所　解　放　社

〒162-0041　東京都新宿区早稲田鶴巻町 525-3

電話 03-3207-1261　　振替 00190-6-742836

URL http://www.jrcl.org/

発売元　有限会社 K K 書 房

〒162-0041　東京都新宿区早稲田鶴巻町 525-5-101

電話 03-5292-1210　　振替 00180-7-146431

URL http://www.kk-shobo.co.jp/

ISBN 978-4-89989-314-1　　C0030

落丁・乱丁本はおとりかえいたします。